27,50

DANS LA MÊME COLLECTION

Comment développer votre magnétisme personnel

collection Initiation

OUVRAGES DU MÊME AUTEUR:

L'Influence à distance (Éditions Dangles).

Théorie et pratique de l'hypnotisme (Éditions Dangles).

Comment développer votre magnétisme personnel (Éditions Dangles).

Méthode pratique de magnétisme, hypnotisme, suggestion (Éditions Dangles).

Le Pouvoir de la volonté, sur soi-même, sur les autres, sur le destin (Éditions Dangles).

Méthode pratique pour développer la mémoire (Éditions Dangles).

Psychologie de l'amour (Éditions Dangles).

La Puissance de l'autosuggestion (Éditions Dangles).

Comment acquérir la maîtrise de soi (Éditions Dangles).

La Timidité vaincue (Éditions Dangles).

L'Éducation de la parole (Éditions Dangles).

Traité théorique et pratique de la double vue (Éditions Leymarie).

Paul-Clément JAGOT

Comment développer votre
magnétisme
personnel

Votre influence invisible :
comment l'augmenter et l'utiliser

104e mille

Éditions Dangles
18, rue Lavoisier
45800 ST-JEAN-DE-BRAYE

Paul-Clément JAGOT (1889-1962)

Issu d'une famille très modeste, né chétif, Paul-C. Jagot eut une enfance difficile. Toute sa vie s'est écoulée à Paris, ville qu'il aimait énormément.

A l'âge de 18 ans, il découvrit l'hypnotisme au contact d'un expérimentateur, A. Lapôtre, et aussi près d'Hector Durville dont il fut l'élève dès 1907, pour devenir ensuite son collaborateur.

Avec l'hypnotisme, il eut le goût des sciences occultes et de la psychologie appliquée. Il étudia à fond le magnétisme d'abord, puis toutes les sciences d'observation : astrologie, chirologie, physiognomonie et surtout la graphologie dans laquelle il excella.

Ses profondes connaissances de la psychologie individuelle ont donné naissance à une œuvre littéraire importante qui rayonne dans le monde entier. De toutes parts, ses lecteurs lui rendent témoignage : ses livres leur ont apporté le réconfort dans l'épreuve, le courage et l'audace d'entreprendre, et beaucoup lui attribuent leur réussite dans la vie.

Paul-C. Jagot, c'est le triomphe de l'autodidacte. Sans diplôme, il s'est cultivé lui-même toute sa vie. Doué d'une mémoire étonnante, il était un véritable érudit. Son influence fut grande sur de nombreux lecteurs, mais sa notoriété n'eut aucune prise sur sa simplicité naturelle. Nul écrivain ne fut à ce point dépourvu de toute vanité littéraire : il ouvrait toujours des yeux étonnés et sceptiques quand on lui parlait du bien que ses livres répandaient.

Il est mort comme il a vécu, tout simplement, sans faire de bruit. Il fut enterré au cimetière parisien de Thiais, loin de toutes pompes officielles, entouré seulement de quelques intimes. Il a, pour le bercer dans sa tombe, le souvenir reconnaissant de nombreux lecteurs qui lui doivent d'avoir surmonté leurs difficultés ou pris conscience de leurs possibilités pour se réaliser pleinement.

ISBN : 2-7033-0134-0
ISSN : 0763-8566

© Éditions Dangles, St-Jean-de-Braye (France) - 1952

Préface

Pour certains, la réalité du magnétisme humain est une **certitude expérimentale,** pour d'autres une **simple conviction ;** beaucoup l'ignorent, quelques-uns la contestent purement et simplement.

Et pourtant, cette subtile irradiation émane effectivement de chacun d'entre nous ; il n'est pas un être humain qui n'influe (consciemment ou non) sur ceux à qui il a affaire, sur d'autres qui sont impliqués dans ses projets personnels et même sur les agents impondérables dont la lente mais incessante activité concourt à la préformation de son devenir.

Une influence invisible, puissante ou vacillante, attractive, répulsive ou neutre, constructive ou désorganisatrice est inséparable de notre activité psychique ; elle s'extériorise sans interruption de chacun d'entre nous.

Nul ne devrait méconnaître les avantages qu'offre la connaissance des lois et des manifestations de cette influence, puis la possibilité de la diriger d'une manière à la fois efficace et harmonieuse. **Cette possibilité est ouverte au lecteur.**

Je crois avoir réuni et coordonné dans cet ouvrage toutes les indications théoriques et pratiques nécessaires à la claire compréhension de ce phénomène, puis à l'obtention de résultats positifs (1).

---

1. Pour tout complément d'information, voir, du même auteur : *Méthode pratique de magnétisme, hypnotisme, suggestion* (Éditions Dangles).

PREMIÈRE PARTIE

Notions générales

CHAPITRE I

Origine
et définition

1. Une influence émane de chacun

Le « magnétisme personnel »...
— Un pouvoir dévolu à quelques surhommes ? Nullement.
— Une mystérieuse influence due à quelques pratiques secrètes ? Pas davantage.

En vérité, il s'agit d'un attribut de l'être humain, d'une propriété du psychisme individuel, tout comme la pensée qui en est d'ailleurs la source principale. Chacun de nous, à tout moment, influe délibérément ou inconsciemment autour de lui, par une irradiation dont le champ d'action s'étend à de courtes ou à de longues distances. Dès la naissance, vous avez été animé (comme toute entité vivante) d'un « magnétisme personnel » qui ne diffère d'un être à un autre que par ses trois caractéristiques principales : **intensité, continuité** et **harmonie**.

Ce livre a principalement pour objectif de vous apprendre à développer ces trois caractéristiques, et comment diriger votre rayonnement psychique avec une plus grande efficacité et précision.

Vos pensées les plus fugitives, vos paroles spontanées ou réfléchies, la moindre de vos décisions ou de vos actions concourent à la formation de l'influence visible et invisible qu'extériorise à tout instant votre individualité. Pensées, paroles et actions passées ont engendré votre condition actuelle. Pensées, paroles et actions présentes engendrent d'ores et déjà la trame de vos lendemains.

Apprendre à maîtriser les composantes de votre influence, c'est devenir capable :

— d'obtenir de plus en plus largement ce que vous ambitionnez ;

— de réussir dans les projets que vous formez ;

— d'éviter, au moins pour l'essentiel, tout ce que vous considérez comme désagréable, pénible ou douloureux.

2. Origine de l'expression « magnétisme personnel »

Qui n'a jamais remarqué l'exceptionnelle attirance, autorité ou sympathie qu'inspirent certains êtres, abstraction faite de leurs qualifications définissables ? Tant à l'âge scolaire qu'à l'âge adulte, au cours de la vie professionnelle, sociale et privée, les manifestations extérieures de ce trait de la personnalité peuvent atteindre un relief tel qu'elles retiennent l'attention de tous. Ce fut en observant des individualités puissamment douées d'attirance, d'autorité et, au surplus, sympathiques à un suprême degré, que vint jadis à l'esprit d'un spécialiste des questions psychiques, l'expression « *magnétisme personnel* ». Elle ne semble pas très heureuse, mais son innovateur ne se souciait sans doute pas de philologie ; consacrée par l'usage, nous la retrouvons après plus d'un demi-siècle.

Sa genèse s'explique par l'analogie, admise depuis Mesmer (1734-1815), des phénomènes de l'*aimantation physique* et du *magnétisme animal* envisagé comme agent thérapeutique. Les propriétés de la pierre d'aimant, connues en Orient depuis des siècles, furent redécouvertes par les Grecs, dans les Temps modernes, aux environs d'une ville d'Asie Mineure nommée Magnésie. L'innovation du mot « *magnétisme* » s'ensuivit. Dès le XVIe siècle, l'aimant fut appliqué avec succès au traitement des maladies (1) et l'acception que les physiciens réservent encore au mot « magnétisme » se trouva étendue à un nouvel ordre de phénomènes.

---

1. Voir l'ouvrage du docteur Louis Donnet : *Les Aimants pour votre santé* (Éditions Dangles).

Plus tard, avec les successeurs de Mesmer, magnétisme s'entendit comme interaction universelle de tous les corps animés, conception selon laquelle ceux-ci agiraient les uns sur les autres conformément à des lois à peu près identiques à celles qui régissent l'aimantation métallique. Du magnétisme *minéral* (celui des physiciens) on passait ainsi au magnétisme *animal* (ou irradiation biologique) dont la projection permet, à l'expérimentateur plein de vitalité, d'effectuer sur un patient en déficience physiologique une véritable transfusion vitale (2).

On conçoit que, par la suite, ce terme soit venu à l'esprit des premiers investigateurs comme expression caractéristique de l'influence, non pas physique ou physiologique, mais *psychologique* ou *psychique* dont traite ce livre.

3. Premières observations des pionniers

Ils observèrent que certains individus irradient cette attirance, cette autorité, cette influence sympathique par le fait qu'ils obtiennent, presque toujours spontanément, l'appui, la considération, l'assentiment et la subordination des autres à leurs conceptions et à leurs entreprises. Ils paraissent doués d'une sorte d'aimantation telle que ce qu'ils convoitent semble venir à eux avec une étrange complaisance : les circonstances se montrent largement favorables à leurs desseins. « *La compétition, les antagonismes, l'adversité éventuelle la plus rude,* écrivait en 1902 T.A. Adkin, *loin d'entraver purement et simplement la carrière d'une personnalité magnétique, affectent celle-ci dynamiquement, contribuent pour ainsi dire à élever le niveau de ses énergies, à éclairer son jugement, à rendre plus réfléchies, plus clairvoyantes ses décisions.* »

Les mots qui précèdent sembleront sans doute à maint lecteur juxtaposés en vue d'illusionner l'imagination, de l'émerveiller en lui ouvrant des perspectives brillantes mais fallacieuses. Telle fut exactement l'impression que je ressentis, voici quarante et quelques années, en lisant un exposé analogue.

---

2. Pour ce qui concerne le magnétisme humain et ses applications thérapeutiques, voir, de Michel Nicole: *Initiation au magnétisme curatif* (Éditions Dangles).

Or, j'ai approché, connu et scruté plusieurs hommes dont la personnalité et la vie furent, à mes yeux, la vivante illustration de toutes les manifestations du magnétisme personnel, telles que décrites plus haut.

Exceptions ? Certes ! Exceptions comme tous les champions, comme tous les virtuoses. Chacun de ceux auxquels je viens de faire allusion possédait l'intégralité des diverses qualifications d'où procède l'influence en question. De tels exemples semblent, de prime abord, plus édifiants qu'encourageants. Cependant, l'analyse de l'influence individuelle et de ses composantes donne une certitude : ces composantes existent, plus ou moins vives, plus ou moins disciplinées, **chez tous**. Les moins doués, les moins prédisposés, dès qu'ils prennent conscience des possibilités latentes qui sont en eux, se trouvent à même de les fortifier et d'orienter judicieusement leur puissance. C'est une question d'attention, d'application, d'assiduité et de jugement, comme tout perfectionnement culturel, artistique ou scientifique.

Si rares que soient les exemples exceptionnels dont nous venons de parler, plus rares encore sont les hommes incapables d'élever l'intensité et la qualité de leur magnétisme personnel à un degré suffisant pour réaliser leurs objectifs.

4. Chacun de nous exerce une influence

De quoi résultent les manifestations d'une puissante influence ? Est-il possible à n'importe qui, sinon d'arriver à égaler les plus forts, du moins d'acquérir une mesure appréciable de leur rayonnement ? Les recherches théoriques et expérimentales entreprises en vue de répondre à ces deux interrogations firent l'objet, au cours des cinquante années précédentes, de thèses multiples, inspiratrices de nombreux cours d'application pratique. Si l'on ouvre la *Bibliographie des sciences psychiques*, publiée par Albert Caillet (3) en 1911, on y trouve l'énumération de 48 ouvrages traitant déjà des

---

3. Fondateur de·la *Société unitive* et auteur d'ouvrages estimés. Il vulgarisa, principalement, le « traitement mental ».

procédés par lesquels chacun peut renforcer son influence. De 1911 à nos jours, de nouveaux livres ont été publiés sur la question. La plupart répètent leurs devanciers, d'autres sont des compilations plus ou moins ingénieuses.

Vers 1904, l'édition française d'une brochure publicitaire diffusée aux U.S.A. fixa mon attention. Voici le paragraphe le plus suggestif de cette brochure, du moins il me sembla tel à première lecture. Avec le recul du temps, je n'en apprécie que mieux sa valeur persuasive.

Pour l'avantage de ceux qui peuvent être un tant soit peu sceptiques quant à l'usage du magnétisme personnel, nous désirons poser les questions suivantes :

— Une personne n'en influence-t-elle pas une autre ?

— Certaines personnes n'influencent-elles pas plus que d'autres ?

— N'avez-vous pas rencontré certaines personnes que vous pouviez influencer plus facilement que d'autres ?

— S'il existe un fait tel que celui d'une personne en influençant une autre par la parole, le regard, le geste ou la volonté, n'est-il pas raisonnable d'admettre qu'un homme ou une femme ayant effectué une étude approfondie des meilleures manières d'influer sur autrui devrait en connaître plus, à ce propos, que quelqu'un qui ne les a jamais étudiées ?

— En d'autres termes, s'il existe une chose telle que l'influence personnelle, n'est-il pas présumable que l'homme ou la femme, qui s'en sert d'après un système défini, en obtiendra de plus sûrs résultats que ceux qui s'en servent pour ainsi dire au hasard ?

— Vous ne pouvez nier que certains exercent une influence sur d'autres. Vous ne pouvez nier, non plus, les avantages d'un entraînement systématique sur la méthode qui a pour base l'insouciance.

Ces quelques lignes me déterminèrent à étudier la méthode de l'auteur, élémentaire et simpliste, mais d'un réalisme très efficace. Depuis, j'ai pris connaissance de tous les textes publiés sur le sujet, en langue française et en langue anglaise. La diversité des thèses a de quoi déconcerter. Cependant, l'expérience et la réflexion m'ont permis de vérifier que chaque conception, chaque méthode recèle une part de vérité. Je me suis appliqué à discerner leurs analogies ou divergences, leurs complémentarismes, puis à en édifier la synthèse qui suit.

5. Les formes d'attirance

Certains ont cru devoir situer la source du rayonnement individuel dans le domaine *biologique*. Une forte vitalité, un organisme parfaitement constitué, une ample capacité thoracique, des métabolismes nutritifs précis et bien coordonnés, une circulation active et régulière impliquent, certes, un magnétisme *animal* puissant. Auprès des « forts » on se sent tonifié. On recherche leur proximité, surtout si l'on se trouve en état de déficience physiologique. On approche d'eux comme d'une source de chaleur quand l'hiver sévit. En cela réside manifestement le secret de certaines formes d'attirance... Mais il existe des individus d'apparence frêle dont l'emprise sur d'autres, de structure plus vigoureuse, est certaine. Une telle emprise émane plus vraisemblablement de qualifications psychiques que d'une surabondance vitale.

D'autres ont insisté sur l'*extériorité*, entendez par là l'aspect extérieur, statique et cinématique, l'harmonie du visage, l'assurance et l'expression du regard, le timbre de la voix, la clarté de l'élocution, l'habileté tactique de la parole et la maîtrise de soi inséparable d'une bonne éducation... Mais, parmi les êtres disgraciés de la nature, fussent-ils affligés de graves difformités et, au surplus, négligés, voire repoussants, il s'en trouve dont la personnalité semble ne manquer ni de séduction, ni de moyens persuasifs, ni d'autorité. On voit également des gens grossiers, violents et insoucieux des plus élémentaires convenances s'imposer non seulement parmi leurs familiers, mais dans les milieux les plus divers.

Il nous faut donc admettre que si l'apparence physique, la sociabilité et la finesse psychologique constituent de précieux éléments d'influence personnelle, le relief des traits du caractère influe souvent à lui seul avec une puissance surprenante, malgré le handicap éventuel des dystrophies, des vulgarités ou des outrances. C'est que **la source principale du magnétisme personnel procède de la vie intérieure**, de la vie psychique, en d'autres termes d'une pensée hardie, précise, bouillonnante et opiniâtre.

6. L'ardeur psychique

Cette conception, issue des recherches d'Emerson, de Mulford, d'Atkinson et d'Hector Durville, sera vérifiée par tous les adeptes disposés à sa mise en pratique. Intensifier la vigueur psychique, c'est intensifier le magnétisme personnel. Par « vigueur psychique » nous entendons principalement l'ardeur et l'acharnement du **vouloir**, ardeur inséparable d'avidités et d'aversions intenses, non pas nécessairement sensorielles ou matérielles, mais étendues aux domaines affectif, intellectif et spirituel.

Sous l'apparence la plus chétive, un être dépourvu de tout élément *visible* d'influence peut fort bien se trouver doué d'une vigueur psychique considérable ou l'acquérir systématiquement. Son influence *invisible*, indépendante de la parole, du regard et, plus généralement, de tout signe extérieur, s'irradie avec force et (à longue distance comme à proximité) communique à tous ceux sur lesquels se braque son attention, des pensées, des inspirations, des impulsions conformes à ce qu'il attend d'eux. Il influe même sur des gens dont il ignore l'existence, lorsque leur mentalité, leur savoir ou leur situation les qualifient pour entrer en relations et agir de concert avec lui.

7. Rôle des qualifications éthiques

Certains auteurs ont attribué une importance primordiale, dans le processus du développement magnétique, à la présence de qualifications morales supérieures : droiture, bienveillance, bonté, idéalisme, élévation de l'âme... Ces qualités constitueraient, d'après ces auteurs, les sources majeures de l'influence psychique. Selon nous, elles en conditionnent exclusivement l'*harmonie* et non pas l'*intensité*, la puissance.

L'observation du réel nous en administre la preuve par le contraste entre deux types de personnalités. Ne voyons-nous pas fréquemment un homme dénué de tout sens moral, violent, impitoyable et arbitraire s'imposer, subordonner et réussir (du moins pour un temps), alors que parallèlement un homme aux sentiments délicats, mesuré, humain et juste peut se trouver relégué aux seconds plans en dépit de ses compétences et de son activité ?

L'histoire nous le montre bien. Le despotisme le plus aveugle, une intégrale absence de scrupules, l'usage des pires violences, la perpétration de meurtres individuels ou de génocides ont souvent coexisté avec l'emprise qu'exercèrent certains chefs d'État dont on a vu l'ascension rapide (due à l'intensité de leur psychisme), puis l'effondrement tout aussi brutal engendré invariablement par le fanatisme, l'orgueil et la mégalomanie. Obscurs à leurs débuts, ces personnages parvinrent tout d'abord à s'agréger un petit nombre d'aventuriers résolus, puis des centaines, des milliers d'enthousiastes délirants. Bien avant de pouvoir user et abuser de la force et de leur pouvoir, de s'imposer par la terreur, encore *réduits à leurs moyens personnels d'influence*, leur présence, leur parole, leur invisible magnétisme et leur charisme subjuguaient de vastes foules. Tout esprit de résistance s'anéantissait chez leurs plus farouches opposants.

Ces exemples — nombreux dans l'histoire — montrent bien que le magnétisme n'émane pas exclusivement de qualifications éthiques exceptionnelles, parfois bien au contraire !

Parmi les doux, les « inoffensifs », les altruistes et les idéalistes, seuls les caractères fermes et animés d'une **volonté ardente** et soutenue influent puissamment, tant sur leurs semblables que sur la trame de leur destin. Ne forcez pas votre talent, dit la sagesse populaire ; toute entreprise disproportionnée avec le degré réel de capacité que l'on possède ne peut aboutir qu'à l'échec.

Encore vaut-il mieux, en dernière analyse, manquer d'intensité que d'harmonie, privilège des caractères nobles. Les sentiments élevés irradient une modalité d'influence qui, si vacillante soit-elle, a du moins l'avantage de n'engendrer que des résultats bienfaisants. Par sa subtile attirance, une telle influence met celui de qui elle émane en rapport avec des mentalités pacifiques, bienveillantes, compatissantes et protectrices à un degré toujours appréciable, parfois largement bénéfique. Si l'intéressé s'imposait l'effort indispensable pour augmenter sa vigueur psychique, pour vivifier ses dispositions morales par la culture de l'énergie, de la détermination et de la fermeté, l'ensemble des éléments de son magnétisme personnel lui assurerait la plus enviable des puissances.

8. Intensité sans harmonie = choc en retour

Parmi les « forts », l'usage sans équité du pouvoir personnel achemine l'homme et son œuvre vers l'anéantissement : il détermine — parfois lentement, toujours sûrement — des répercussions catastrophiques, d'autant plus graves que ladite influence est plus forte. Dans un précédent ouvrage (4) j'ai exposé le mécanisme du « choc en retour » :

Il y a un demi-siècle, au sein d'un pays d'Europe se constitua, sous l'égide de quelques volontés résolues, un centre d'emprise télépsychique d'une envergure sans précédent. Ses organisateurs réussirent à placer 90 millions d'hommes dans un état de mono-idéisme aveuglément fanatique (5). Tout ce que nous avons observé, appris et vérifié tend à mettre en lumière ce fait que le créateur de la chaîne en question procéda — intuitivement peut-être, mais avec précision — en conformité avec les lois des phénomènes psychiques. L'impulsion centrifuge, irradiée du sommet à la base (c'est-à-dire d'une volonté propulsante à la multitude des passifs) par diverses chaînes intermédiaires hiérarchisées, revenait au sommet en mode centripète, multipliant alors incommensurablement la puissance de celui-ci. Du fait même de son implacable impériosité, cette formidable chaîne portait en elle, dès l'origine, le déterminisme de son propre anéantissement. L'intense révolte silencieuse de quelques-uns, se diffusant même du fond des geôles, s'est communiquée à des centaines, à des milliers d'êtres, jusqu'à ce que des continents entiers vibrent à l'unisson.

Et comment se manifesta essentiellement le choc en retour ? *Par l'altération progressive de la lucidité d'esprit* des principaux détenteurs du pouvoir central. A partir d'un certain moment, leurs évaluations et leurs décisions furent d'une stupéfiante extravagance. Chez ces réalistes, le sens des réalités semble s'être intégralement obscurci dans les derniers temps, au point de leur aliéner les plus lumineuses évidences.

----

4. *L'Influence à distance* (Éditions Dangles).
5. On usa même de répression pour anéantir les résistances. Seule la suggestion peut créer un assentiment enthousiaste.

Leur influence primitive, s'interposant comme un écran entre le discernement de leurs assujettis et le monde extérieur, leur permit de créer la psychose collective grâce à laquelle chacun devenait un docile et ardent auxiliaire de leurs ambitions. Rigoureuse, la loi de répercussion vint désorganiser et finalement anéantir l'entendement des despotes.

Tout au long de l'histoire on voit s'effondrer, tour à tour, les régimes en apparence les mieux conçus ; on voit se fragmenter les empires les plus vastes. C'est qu'il n'y eut jamais de régime rigoureusement équitable ni d'empire édifié sans l'usage arbitraire et outrancier de la force. L'usage politique des énergies psychiques, dont le deuxième quart de notre siècle devait voir l'avènement, s'est avéré d'une efficience rapide et massive au point de sembler s'identifier à la certitude d'une irrésistible et définitive suprématie. Plus stupéfiante encore en a été la répercussion destructrice.

9. Ce qu'il faut garder présent à l'esprit

Les diverses composantes du magnétisme personnel se définissent ainsi :
— Un élément biologique.
— Un élément constitué par l'aspect et les moyens d'influence visibles ou audibles : visage, structure corporelle, regard, attitude, parole maniée conformément aux lois de la suggestion.
— Un élément psychique (invisible) d'une importance essentielle, qui procède de l'ardeur de la volonté, ardeur dont la source réside en l'intensité des avidités ou aversions matérielles, affectives, intellectuelles ou spirituelles.
— Un élément d'équilibre et d'harmonisation issu de la rectitude et de l'élévation morales.

Ces quatre composantes, il appartient à chacun de les mettre au point, de les associer et de gouverner avec lucidité leurs multiples effets.

CHAPITRE II

De la théorie
à la pratique

1. Influence ou magnétisme ?

Le chapitre précédent résume clairement les conceptions diverses auxquelles a donné lieu, depuis environ 50 ans, l'étude des faits qui ont mis en lumière l'existence du magnétisme personnel et permis d'en dégager, puis d'en vérifier les lois. Nous nous sommes efforcé de montrer comment les thèses les plus diverses se complètent l'une l'autre et quelles conclusions pratiques elles impliquent. S'il nous a prêté quelque attention, le lecteur se trouve d'ores et déjà certain que chacun de nous — et en particulier lui-même — influe consciemment ou inconsciemment, faiblement ou puissamment, harmonieusement ou désastreusement autour de lui, cela par l'intermédiaire de deux sortes d'agents ou d'éléments, les uns visibles (ou extrinsèques), les autres invisibles (ou intrinsèques). Je propose, afin d'éviter dans ce qui va suivre, toute confusion, d'attribuer l'expression « *influence personnelle* » à l'ensemble des effets rendus possibles par l'utilisation des éléments visibles et de réserver à l'invisible irradiation psychique la dénomination « *magnétisme personnel* ». La réalité illustre ce distinguo :

Une pensée résolue, précise et persistante influe silencieusement, avec plus de puissance que la parole d'un prince de l'éloquence. Un regard paisible derrière lequel existe une volonté inflexible impressionne en profondeur et durablement alors que l'éclair fascinateur de deux yeux étincelants (1) ne laissera qu'une impression éphémère si la vie psychique de leur possesseur manque d'intensité. La beauté classique retient l'attention, inspire l'admiration et le désir, suscitant ainsi de nombreux attraits mais, faute d'être éclairée du dedans par la flamme rayonnante du magnétisme personnel, elle voit s'évanouir comme un songe admiration, désirs et attraits. A l'inverse, la vigueur psychique, une mentalité lucide et forte, un esprit paisiblement dominateur *fixent* l'emprise amorcée par les éléments extérieurs de charme, si imparfaits que soient ces derniers.

L'importance des moyens visibles d'influence reste considérable, surtout si on les utilise avec méthode, ce qui nécessite une vigilance contribuant au développement des forces invisibles, de l'irradiation magnétique.

Par ordre d'importance, voici l'énumération de ces composantes :

— le calme,
— l'assurance,
— le regard,
— la suggestion verbale,
— l'attitude (sens de la mesure, tact, éducation),
— la persistance,
— la combativité.

Chacune peut et doit faire l'objet d'une mise au point en vue de son amélioration et de sa stabilisation et, principalement, de sa subordination à la volonté délibérée. Leur utilisation systématique, laquelle fera l'objet des prochains chapitres, donne rapidement des résultats encourageants.

2. Effets élémentaires de l'influence extérieure

Le développement et l'utilisation méthodique des agents de l'influence extérieure permettent :

— De faire spontanément bonne impression, sans rechercher le moins du monde, par les petits moyens propres aux courtisans,

---

1. L'éclat de la cornée résulte de causes purement physiologiques.

l'approbation, les louanges ou la sympathie de qui que ce soit. La présence pure et simple d'une personnalité douée d'influence personnelle suffit à prévenir les gens en sa faveur.

— D'acquérir l'habitude d'une tactique persuasive, basée sur les lois de la suggestion, en vue d'obtenir, tout de suite (ou à échéance) l'adhésion de chacun aux conceptions, sentiments, décisions, dispositions que l'on cherche à lui inspirer.

— D'exercer une certaine autorité individuelle, distincte de celle qu'assurent un galon, un titre, une fonction ou une position sociale importante.

— De demeurer, en toutes circonstances et en présence de qui que ce soit, imperturbable même lorsque l'hostilité des gens ou des circonstances tend à désorganiser la résistance.

— De persister dans la mise à exécution des résolutions ou décisions que l'on a mûrement arrêtées, malgré toutes les entraves ou contresuggestions éventuelles.

C'est déjà appréciable. De nombreuses méthodes et cours ont déjà exclusivement envisagé ces résultats. Tout en les recherchant, ne perdez pas de vue que l'influence extrinsèque (ou visible) reste distincte du magnétisme personnel proprement dit, de la vie psychique profonde de son ardeur et de son harmonie.

3. Répercussions de l'influence sur le magnétisme

Le gouvernement de soi-même présuppose un minimum de volonté ou, plus exactement, d'aptitude à l'accomplissement d'actes volontaires et délibérés. Nul n'est absolument dénué de cette aptitude. Elle ne diffère de l'un à l'autre que par un certain nombre de degrés. Or, l'autodiscipline indispensable pour développer les éléments de l'influence personnelle a un retentissement profond sur le psychisme et, par conséquent, sur son invisible irradiation : le magnétisme personnel. Cette autodiscipline met en jeu l'attention et le contrôle de soi-même. Elle tend à subordonner à la raison les instincts, l'émotivité et l'imagination. Elle constitue un entraînement très efficace en vue de l'intensification et de l'emploi judicieux du magnétisme personnel. Pour ceux-là même qui sont naturellement doués, cela requiert une application assidue, une autosurveillance de tous les instants, un effort persistant, mais les résultats paient cet effort dans une mesure inappréciable.

La culture et l'emploi des moyens d'influence énumérés ci-dessus rendront des services immédiats à tous ceux qui ont affaire aux autres : vendeurs, représentants, administrateurs, hommes d'Église, éducateurs, professions libérales, etc. Chacun disposera alors d'une technique précise et sûre pour arriver à ses fins, pour implanter dans l'esprit de ses interlocuteurs le germe des pensées qu'il souhaite y voir s'épanouir, prédominer jusqu'à devenir déter-minantes. Dans la vie privée, les mêmes moyens seront précieux : loin de vérifier l'aphorisme : « *Nul n'est prophète en son pays* », vous pourrez influer sur vos familiers aussi sûrement que dans la vie professionnelle ou sociale et, si vous désirez affecter l'un d'eux en particulier, vous y parviendrez immanquablement.

4. Efficience du savoir théorique

La lecture de n'importe quel traité analogue à celui-ci confère un avantage direct et immédiat, même au simple amateur que l'expérimentation ne tente pas suffisamment pour le décider à s'imposer les efforts qu'elle exige. Le seul fait d'intégrer à sa vie mentale une claire représentation du rôle de l'influence individuelle, d'en connaître les lois, procédés et manifestations éclairent le dis-cernement de celui qui sait observer, lui ouvrant une perspective nouvelle.

Il sera désormais moins influençable ; le prestige de tel per-sonnage dont il subissait, passivement jusqu'ici, l'ascendant, se dépouillera à ses yeux du caractère « mystérieux » dont procédait la plus grande partie de son influence. Il se sentira immunisé, dans une large mesure, contre la plupart des tentatives effectuées en vue de l'amener à admettre une thèse, de lui inculquer une conviction, de le pousser à des décisions ou à des actes déterminés, à la faveur d'une neutralisation momentanée de son sens critique.

Lire, relire et réfléchir, c'est s'autosuggestionner. Or, le cou-rant de pensées ainsi créé tend — des centaines d'autres l'ont dit avant moi — à se transformer en actes. Les velléités d'aujourd'hui engendrent pour quelque lendemain des dispositions plus proches de la fermeté. Ainsi, par un cheminement d'une extrême lenteur au début, de nombreux lecteurs d'ouvrages sur la culture psychique s'avancent vers la détermination de pratiquer.

Enfin, il arrive assez fréquemment qu'un choc plus ou moins brutal — dû à quelque éventualité fortement impressionnante — fasse surgir d'une individualité jusque-là amorphe ou assoupie aux rythmes monotones d'une vie tissée d'insignifiances, cet élan propulseur d'où s'ensuivent décision, action, effort et persistance. Alors, les possibilités ouvertes par le livre si longtemps négligé s'illuminent soudain d'une clarté triomphatrice et suscitent une sorte de révolution intérieure, une vague de fonds, un sursaut de toutes les puissances latentes de l'être. On voit subitement l'intéressé se mettre à l'œuvre, surmonter ses inerties et briser les résistances avec une fougue dont nul ne l'aurait cru capable. Mieux vaut cependant ne pas attendre ce « choc » éventuel et aborder immédiatement la pratique afin de n'avoir pas à agir sans préparation, « à chaud », ce qui entraîne une fatigue presque toujours rapidement freinatrice de l'élan initial. Plus sûre reste la voie normale, la mise à exécution méthodique des instructions de ce livre.

Quand il s'agit de passer à la pratique, l'adepte se trouve sur une voie où chaque pas nécessite un singulier effort. Je dis « singulier » car il ne s'agit pas d'exercices que l'on exécute à un moment de la journée et auxquels on ne pense plus le reste du temps (comme ceux de la culture musculaire), mais de l'observation d'une série de règles auxquelles il faut se conformer du matin au soir.

Qui dit effort dit dépense d'énergie. A quelle source puiser l'énergie nécessaire au suivi des règles en question ? Je vais essayer de le faire comprendre.

5. Les sources de l'énergie

Y a-t-il une ou plusieurs choses que vous convoitiez par-dessus tout ou que vous désiriez éviter à tout prix ? Désignons votre désir des premières par le mot générique « avidité », et votre répugnance pour les secondes par le mot « aversion ». Pour éviter une interprétation spécieuse de ces deux vocables, je répète qu'en les utilisant j'étends leurs acceptions conventionnelles :

a) Les « avidités »

— A toutes les ambitions ou aspirations, notamment à celles dont le niveau relègue à l'arrière-plan les questions d'argent, de satisfactions matérielles ou de vanité. L'avidité d'une virtuosité technique ou artistique, de l'accès à un rôle de premier plan, au pouvoir politique, à une suprématie quelle qu'elle soit engendre une plus forte « pulsion » que celle de moyens d'assouvissement d'un quelconque penchant sensoriel.

— Aux aspirations purement intellectuelles vers la connaissance scientifique ou philosophique. L'homme principalement préoccupé de savoir, de chercher, de découvrir, de résoudre, d'étendre toujours plus avant ses investigations illustre exactement cette conception.

— A l'idéalisme caractéristique de ceux dont la vie intérieure est animée et gouvernée par le désir de s'identifier à quelque modèle d'élévation spirituelle.

Toute avidité, que ce soit celle de valeurs pondérables, celle de l'intelligence des mathématiques transcendantes, celle d'atteindre à la perfection éthique constitue une source abondante et intarissable d'énergie psychique. Un intense désir suscite l'effort et assure la persistance de son accomplissement, si pénible qu'il soit.

b) Les « aversions »

Quant aux aversions dont chacun discernera en lui diverses formes (sensorielles, affectives, intellectives), je les considère, malgré leur caractère négatif, comme fomentatrices d'initiative, de résolution et de fermeté. Une ou plusieurs aversions très vives peuvent fort bien maintenir l'orientation de la pensée et de l'activité vers un objectif pour l'atteinte duquel même un faible s'évertuera avec une volonté inébranlable.

Ce pour quoi vous ressentez une profonde horreur, un subtil concours de circonstances tend à vous l'épargner, car l'influence des pensées que vous entretenez à ce sujet attire vers vous des inspirations, des personnes et même des circonstances préservatrices.

6. Faites votre auto-analyse

La pensée la plus fugitive, l'effort le plus minime (qu'il soit obligatoire ou facultatif) nécessite la mise en œuvre de cette sorte d'énergie dont la source réside soit dans l'*avidité* (s'il s'agit de satisfaire un besoin, une convoitise, un caprice ou une ambition), soit dans l'*aversion* (quand l'on vise à éviter un désagrément, un désavantage ou un péril).

Or, la mise en pratique des règles et des procédés développant l'influence personnelle nécessite une attention vigilante de tous les instants et une détermination inflexible, car il s'agit de rompre avec de vieilles habitudes, d'anéantir l'emprise de plusieurs routines ou réflexes conditionnés depuis des années.

L'incitation indispensable à un tel effort, vos avidités et vos aversions l'engendrent. A vous de vous représenter clairement l'importance de l'influence personnelle dans la réalisation de vos desseins, ses avantages dans votre carrière, dans votre vie sociale et votre vie privée. Aborder la culture psychique en s'imaginant qu'elle permet de réussir sans efforts ou par la réduction de l'effort normal équivaut à renoncer au plus appréciable des moyens d'action et d'emprise. L'objet fondamental des études psychiques, loin de viser à permettre d'esquiver la lutte pour la vie et pour le succès, vise au contraire à l'acquisition d'une **capacité d'action au-dessus de la moyenne.**

Ressentez-vous un désir forcené pour un certain nombre de satisfactions ? Vous sentez-vous résolu à refuser telle ou telle astreinte au point de vous imposer tous les actes et toutes les abstentions nécessaires en vue de les éviter ?

Si oui, vous détenez en vous-même une réserve considérable de vigueur psychique. Si non, ne vous découragez pas : essayez de susciter volontairement, dans les profondeurs de votre être, l'élan propulseur qui ne se manifeste pas spontanément.

Voulez-vous procéder à un inventaire systématique de vos avidités et aversions ? Posez-vous les questions suivantes et répondez sincèrement : « Qu'est-ce que je veux ? »

— Un équilibre psychosomatique harmonieux ?
— Une plus grande facilité de travail cérébral ?

— Une assurance et une aisance parfaites en public ?

— La sécurité et le bien-être matériels ?

— Un savoir étendu au point de vue technique ou philosophique ?

— Un pouvoir suggestif et dominateur au-dessus de l'ordinaire ?

— L'accès à tel emploi, à telles fonctions, à telle situation ?

— Les capacités nécessaires pour coopérer à mon idéal social ?

— La sagesse indispensable pour conformer ma conduite à la doctrine qui a reçu mon assentiment ?

Si ces questions ne correspondent pas exactement à vos tendances, à vous d'en formuler d'autres.

L'inventaire précédent peut fort bien vous amener à prendre conscience du fait que, velléitaire, inerte, dispersé ou indiscipliné, vous vous trouvez comparable à un esquif sans gouvernail, livré au caprice de tous les vents, influences, circonstances... N'en rougissez pas. Vous n'avez choisi ni votre structure psychologique, ni les personnes responsables de votre formation initiale, ni les auspices sous lesquels vous avez été placé en face des réalités de la vie.

Vous ne devez de compte qu'à vous-même mais, vis-à-vis de vous-même, soyez sincère. En vous regardant face au miroir psychologique, il est de votre plus grand intérêt de vous examiner sans complaisance ni humilité. Surestimation ou sous-estimation ne serviraient point votre cause.

Prendre conscience de votre condition mentale actuelle, telle qu'elle est, c'est déjà accomplir un premier pas sur le chemin d'une transformation radicale, c'est amorcer l'élan décisif vers l'obtention des qualifications qui vous manquent et la suppression des déficiences que vous déplorez.

On a beaucoup parlé du complexe d'infériorité et mis en lumière l'effet propulseur que le sentiment de leurs insuffisances provoque chez certains hommes. L'individu conscient d'un certain nombre de désavantages, s'il s'insurge contre sa condition, s'il ressent à l'égard de ses déficiences ou anomalies une aversion violente, s'engage d'ores et déjà sur le chemin de la supériorité. Le timide révolté, celui auquel la timidité inspire de l'horreur est à moitié guéri et acquerra la plus imperturbable assurance. L'homme trop impressionnable deviendra impassible, invulnérable à toute influence extérieure si, loin de se résigner à passer toute sa vie dans le pénible état dont il souffre en toutes circonstances, il décide de s'évertuer méthodiquement en vue de conquérir la stabilité intérieure. Il surmontera l'obstacle et acquerra un sang-froid exemplaire.

En vous inspirant de ce livre, si peu prédisposé que vous puissiez être à en tirer parti, la possibilité vous est ouverte de devenir une entité humaine bien supérieure à la moyenne. Vous en trouverez la force, l'énergie, vous en prendrez la détermination et le succès sera votre récompense. Vous éléverez au maximum vos possibilités actuelles et en ferez naître de nouvelles, d'un niveau supérieur.

7. Vous êtes qualifié pour réussir

Si vous m'avez attentivement suivi jusqu'à cette ligne, vous avez permis aux notions, conceptions et idées-forces (dont s'ensuivront les résultats que vous désirez) de s'insérer, de se graver dans votre subconscient. Je m'exprime sans doute avec plus de conviction que d'élégance, mais non sans efficacité. Tout ce que vous venez de lire a laissé dans votre mentalité une empreinte dont vous évaluerez bientôt la profondeur. Inspirées par l'intention — je dirai même par la détermination — de vous inculquer une confiance raisonnée en votre personnalité, mes paroles n'éveillent-elles pas déjà en vous-même un écho, une résonance ? Ne modifient-elles pas un tant soit peu l'orientation habituelle de vos pensées ?

Pour peu que vous entamiez la pratique avec le chapitre suivant, vous ne tarderez pas à y prendre goût et à vérifier expérimentalement le fait que vous pouvez tirer des procédés de l'influence personnelle des effets assez saisissants pour vous décider à vouloir, par-dessus tout, l'intégralité de ce que rend possible la culture psychique.

DEUXIÈME PARTIE

Principes
et techniques

CHAPITRE III

Le calme
et l'assurance

1. L'importance primordiale du calme

a) Une condition essentielle au bonheur

Nous considérons le calme comme la pierre cubique, le piédestal où doit se situer — puis se tenir inébranlable — celui qui veut conquérir tous les autres moyens d'influence personnelle. En soi, le calme influe puissamment sur tous. Si, comme unique effet, ce livre vous détermine à acquérir un degré de calme supérieur à celui que vous possédez déjà, vous aurez, en l'achetant, effectué un placement dont vous apprécierez les revenus chaque jour de votre vie.

Nous venons tous au monde avec une dominance tempéramentale (bilieuse, nerveuse, sanguine ou lymphatique) qu'il faut s'exercer à surmonter. Les bilieux agissent par une tendance à l'anxiété, maintiennent malaisément leur calme, de même que les nerveux, trépidants par définition. Les sanguins, placides et explosifs tout à la fois, ne se dominent pas facilement sous l'effet d'une émotion vive ; ils s'emportent, se « mettent en colère », deviennent violents. Quant aux lymphatiques, d'aspect inerte, on les croit communément fort placides mais, au fond, ce sont de véritables paquets de nerfs, prédisposés à de véritables crises spasmodiques lorsqu'une trop forte contrariété ou une série trop prolongée de revers leur échoit.

La culture de l'empire sur soi-même est indispensable à l'acquisition d'un calme imperturbable comme, d'ailleurs, de l'assurance. Quand tout concourt à la tranquillité, il est aisé de rester calme. Ce que je voudrais réussir à vous inculquer, c'est la détermination de maintenir votre impassibilité *malgré* les contrariétés, les ennuis, les antagonismes, les éventuels revers et les pires malheurs du monde. Cela ne se fera pas simplement en y rêvant ou par des prières, mais par un effort résolu, par une application de tous les instants, par la rupture du *modus vivendi* routinier auquel prédispose la formation première, l'entourage initial, les habitudes enracinées et les exigences professionnelles. Le résultat vous paiera au centuple en vous conférant sur les neuf dixièmes de vos semblables une supériorité manifeste.

Calme ne signifie pas indifférence, insensibilité, *non-émotivité* (1), mais bien le pouvoir d'endiguer le dynamisme émotionnel puis de l'utiliser d'une manière efficace et précise.

b) La supériorité des calmes

Se représenter avec insistance les principaux avantages du calme aide à éveiller la décision et l'énergie indispensables aux efforts que requiert toute autorééducation. En vue de fournir une base aux méditations que nous conseillons, nous allons tout d'abord résumer les caractéristiques de toute personne habituellement calme :

— Ses nerfs et ses muscles gardent un tonus normal, un degré appréciable de relaxation, ce qui facilite toutes ses fonctions physiologiques.

— Au cours de tous ses actes, elle pense en mode rectiligne, convergent. Son attention demeure soutenue sur ce qu'elle exécute ; elle ne s'en laisse pas facilement distraire.

— La régularité de ses habitudes lui permet de commencer sa journée à heure fixe, sans hâte, de travailler posément et de produire au maximum en ne se fatiguant qu'au minimum.

— Elle profite pleinement de ses jours et heures de repos, car elle vit avec plénitude le moment présent.

---

1. Terme innové par Heymans et Viersma.

— Elle ne marque, en présence d'autrui, ni morgue ni empressement.

Elle écoute, sans jamais manifester avec exubérance ses réactions intérieures, les paroles qui lui sont adressées.

— Elle domine l'impatience, l'irritation, l'emportement et garde, dans ses propos, une mesure suffisante pour impressionner favorablement ses supérieurs, ses égaux et ses subordonnés.

— Elle parle posément et distinctement. Son débit n'est pas précipité, chacun comprend clairement ce qu'elle dit.

— Sa présence apaisante et tonique, de par son calme souverain, constitue un agrément et même un sédatif auprès des malades. On est content qu'elle soit là.

— Elle se laisse malaisément envahir par les suggestions de qui que ce soit, n'admet que sous bénéfice d'inventaire réfléchi le bien-fondé des affirmations ou exhortations qu'on lui adresse. Nul ne réussit à lui imposer une conviction sans certitude vérifiable, à lui « arracher une décision ». Ce n'est pas un « sujet » auprès duquel un habile argumentateur arrive à « enlever une affaire ». Sa présence d'esprit facilite sa vigilance.

— Les imprévus, les contretemps, les déconvenues — inséparables de la vie — n'ébranlent pas plus son équilibre qu'un bruit soudain ne la fait sursauter. Elle s'éloigne de la source du bruit ou l'éloigne d'elle. Sans gaspiller ses énergies en lamentations ou imprécations, elle prend froidement les dispositions nécessaires pour neutraliser, dans toute la mesure du possible, imprévus, contretemps ou déconvenues, puis passe le reste à « pertes et profits ».

— Une éventualité aux conséquences graves ne l'enchante pas plus qu'une autre personne, mais ne l'abat pas longtemps, car elle garde confiance dans sa capacité à « se ressaisir » et regroupe méthodiquement ses moyens.

— Les pires adversités l'affligent objectivement bien plus que subjectivement. De jour en jour — parfois d'heure en heure — elle remonte paisiblement le courant, atténue le mal qui l'a frappée et s'efforce d'en surmonter, une à une, toutes les conséquences. Elle se sent ensuite plus forte, plus combative qu'auparavant et mieux armée pour la lutte. Si, dans l'avenir, il lui faut affronter d'autres combats, elle se dit : « *J'en ai vu bien d'autres.* »

— Si modeste que soit sa position, l'individu calme influe toujours appréciablement autour de lui, ne serait-ce que par la considération qu'inspire son comportement pondéré. On songe souvent à lui pour des postes de confiance ou de vigilance. Il recueille le maximum d'estime compatible avec sa valeur foncière, parfois plus encore.

2. Les méfaits de l'agitation

Second vantail du diptyque, l'homme « survolté (2) » contribue, si l'on réalise les inconvénients de sa condition, à orienter la pensée vers le calme par l'aversion même qu'inspire l'agitation.

— Cet homme vit en état de tension morale et musculaire continue. Cela retentit sur son rythme cardiaque, sa circulation, ses fonctions digestives comme sur l'enchaînement de ses pensées. De nombreuses algies et manifestations spasmodiques s'ensuivent.

— Il pense spontanément en mode dispersé, éparpillé. Il lui faut peiner laborieusement pour maintenir son attention sur ce qu'il fait, surtout s'il s'agit d'un travail plus ou moins abstrait nécessitant des représentations mentales sans l'appui d'objets matériels.

— Tiré du sommeil par l'exigence de ses obligations, il éprouve une grande difficulté à s'éveiller intégralement, à recouvrer clarté d'esprit et vision lucide des choses. Malgré un effort matériel de régularité, l'instabilité de son acuité cérébrale, les éclipses de son attention et les réactions excessives de son impressionnabilité entravent l'exécution de ses besognes et occasionnent des retards qu'il s'enfièvre à rattraper, au prix d'une fatigue excessive et non sans oublis et erreurs.

— Toujours plus ou moins crispé, il ne se délasse à fond que fort rarement : son attention oscille entre la rumination des heures précédentes et l'expectation de ce que seront les suivantes.

— Impulsif par définition, il se montre, selon l'humeur du moment ou la teinte des circonstances, soit exagérément empressé, soit sec et désagréable.

---

2. L'homme calme évoque un puissant ampérage se diffusant selon un voltage normal et constant. A l'inverse, l'agité, déperditeur d'énergie, tour à tour survolté et déchargé, passe de la surexcitation frénétique à la dépression. Parfois, son potentiel s'effondre complètement, aboutissant à la névrose.

— Anxieux, impatient et irritable, il se laisse emporter à des écarts de langage, à des outrances affirmatives ou négatives dont il constate fréquemment, mais trop tard, l'effet déplorable.

— Son débit verbal saccadé procède de sa tendance à vouloir qu'on le comprenne plus vite encore qu'il ne s'exprime. En fait, on le comprend imparfaitement. Il s'en aperçoit, ce qui contribue encore plus à sa perpétuelle irritabilité.

— Sa présence tend à communiquer aux autres le malaise intérieur qu'il ressent. Même immobile et silencieux, il n'affecte pas agréablement ses compagnons car l'irradiation d'un psychisme spasmodique produit un effet comparable à celui d'un courant faradique. Immobilité et silence ? Nous en sommes loin ! Il surabonde en tics, menus mouvements saccadés ou gesticulation, et son flux verbal ne s'interrompt pas volontiers. Quand il prend congé, chacun ressent une sorte d'allégement.

— Bien qu'objecteur systématique et contrariant, il se laisse envahir sans assez de circonspection à tout exposé apaisant par quelque perspective fallacieuse son anxiété. Une parole aux modulations agréables, une diction appuyée, une réthorique artificieuse, et même l'aplomb pur et simple du bonimenteur exercé atténuent son sens critique et laissent déferler en lui l'enthousiasme, sincère ou simulé, de l'orateur, du propagandiste, du démarcheur, du vendeur, du solliciteur. Il donne alors un assentiment irréfléchi, passe des ordres ou accepte des propositions qui, à froid, lui apparaîtront regrettables.

— De menus contretemps, imprévus ou déconvenues suffisent à perturber démesurément et pour une durée excessive son équilibre psychologique.

— Qu'une éventualité effectivement désastreuse survienne, perdant le peu de sang-froid qu'il possède, il réagit sans lucidité ni adresse, aggravant la situation plus qu'il n'en atténue les conséquences.

— Quant aux adversités majeures, il les subira parfois non sans courage, rarement avec l'impassibilité qui lui permettrait d'envisager froidement la tactique à suivre pour surmonter l'affliction survenue.

— Parmi les agités, il ne manque pas d'hommes de valeur, de mérite : il ne se trouve pas de personnalité *magnétique*, c'est-à-dire douée d'une influence distincte de celle que lui confèrent ses fonctions. A noter que quels que soient sa valeur et son mérite, celui qui manque par trop de calme est rarement apprécié et payé ce qu'il vaut.

— A son foyer, il n'engendre pas un climat harmonieux, ne songe ni à peser ses paroles, ni à conserver une humeur égale en vue de ménager la sensibilité des siens. On l'estime parfois et, de ce fait, on le supporte. On l'aime rarement.

3. Un premier pas

Des deux types précédents, que le premier serve de modèle et le second d'avis. Aussi ressemblant à ce dernier que l'on puisse être, la possibilité subsiste de parvenir rapidement à égaler — et même à surpasser — toutes les caractéristiques du premier. Je dis « surpasser » car la description que l'on vient de lire est celle du cas moyen, non pas celle de l'optimum, exceptionnel par définition. Le défaut engendre la qualité. Il n'y a pas plus intrépide qu'un ancien poltron, pas plus assuré qu'un ancien timide, pas plus calme qu'un ancien agité.

Première condition à remplir : garder au premier plan de votre pensée le souci d'acquérir l'imperturbabilité, et subordonner tout votre comportement, tous vos projets, toutes vos entreprises à la mise en pratique des règles qui vont être exposées au cours des paragraphes suivants. Si vous voulez bien admettre, dès cette minute, que votre but primordial dans la vie est l'acquisition du calme et qu'hormis cela tout reste secondaire, vous avez déjà effectué un pas décisif.

Pour aider à la continuité de ces dispositions, observez (silencieusement) toutes les personnes avec qui vous vous trouvez en relations, habituelles ou occasionnelles. Tirez de vos observations de multiples encouragements. Vous sentirez rapidement à qui vous voulez ressembler et ceux que vous ne souhaitez à aucun prix imiter.

Quand l'agacement, l'énervement ou l'impatience vous gagnent, respirez deux ou trois fois profondément, relâchez vos muscles et répétez-vous mentalement : « *Tout s'apaise, tout se* *détend, tout se relâche, tout se décontracte. Je me sens isolé de toute cause d'agitation. Je suis calme.* »

4. Moyens physiologiques

Les pires extravagances surabondent en matière de régimes alimentaires, dans la littérature consacrée au « magnétisme personnel ». Pour certains, cette influence nécessiterait l'ingestion exclusive de crudités ; pour d'autres, une alimentation lacto-végétarienne favoriserait à un degré suprême l'élaboration du « fluide ».

Pour ce qui concerne le calme, il suffit d'observer une extrême modération quant aux substances excitantes : alcool, viande rouge, sucres industriels, café, thé, tabac... Réduire au minimum la consommation de ces produits, c'est supprimer les principales sources physiologiques d'agitation.

Une alimentation saine et équilibrée, adaptée à la dépense physique, assure dans la majorité des cas le calme et l'équilibre nerveux recherchés. Il existe quantité de bons ouvrages sur cette question, auxquels nous vous invitons à vous référer (3).

Divers auteurs ont insisté sur le rôle de la fonction respiratoire, et préconisé de nombreux exercices dits de « respiration profonde ». Leur principe repose sur des inspirations forcées, suivies d'une rétention d'air dans les poumons, ensuite d'une expiration lente et intégrale et, enfin, d'un quatrième temps durant lequel on maintient le vide pulmonaire. Pratiquement, ce qui importe c'est d'amplifier la capacité thoracique, et cela ne s'obtient pas par des exercices en quatre temps chiffrés à la seconde près, mais par la pratique quotidienne et régulière d'exercices physiques, de sport, de marche... Toute activité physique fortifie les muscles qui concourent à l'acte respiratoire, provoquent un « appel d'air » dans les poumons, tout naturellement suivi d'inspirations profondes. Là aussi existent de nombreux ouvrages pratiques de gymnastique dont vous pourrez effectuer quotidiennement certaines séquences (4). Outre la séance matinale de culture physique, j'encourage

---

3. Voir, entre autres, les livres suivants : docteur André Passebecq : *Votre santé par la diététique et l'alimentation saine* (Éditions Dangles) ; docteur Yves Charles et Jean-Luc Darrigol : *Guide pratique de diététique familiale* (Éditions Dangles).

4. Voir les ouvrages suivants : Marcel Rouet : *Chassez la fatigue en retrouvant la forme* (Éditions Dangles) ; Yvonne Sendowski : *Gymnastique douce* (Éditions Dangles) ; docteur J.-E. Ruffier : *Gymnastique quotidienne* (Éditions Dangles).

vivement ceux qui sauront en trouver le loisir au maniement des poids et haltères (de manière modérée, bien entendu) et à la natation.

Je conseille aussi vivement l'**hydrothérapie**, apaisante, tonique et régulatrice.

Voici comment pratiquer :

Dans une pièce où la température n'est pas inférieure à 18°, absolument rien à craindre d'un éventuel « refroidissement ». Faites couler un peu d'eau chaude dans le fond de la baignoire puis, à l'aide d'une éponge de grande capacité, lessivez tout le corps en savonnant. Ensuite, avec l'eau froide (ou de plus en plus froide), procédez à une affusion générale comme suit : respirez à fond puis, une fois les poumons pleins, maintenez-les dilatés et pressez l'éponge gorgée d'eau froide sous le cou, puis sur chacun des sommets pulmonaires. Ensuite, expirez. Respirez à fond et, au moment où l'inspiration atteint à nouveau son maximum, pressez l'éponge sous la nuque et au-dessus de chaque omoplate. Recommencez en pressant l'éponge sur chacune des épaules. Vous pouvez répéter plusieurs fois ce quadruple « temps ». Pour terminer, friction suivie d'un repos allongé de 5 mn pendant lesquelles vous relâcherez bien tous vos muscles, dans le silence et la semi-obscurité.

Activité physique régulière, alimentation équilibrée, hydrothérapie et relaxation sont les moyens les plus efficaces pour conserver un tonus satisfaisant et rester calme tout au long de la journée.

5. Contrôlez vos sensations

Le claquement soudain d'une porte, le crissement aigu d'une surface lisse sur laquelle frotte une pointe métallique, le vacarme des klaxons, les radios hurlantes, les voix criardes... autant de chocs défavorables à la sérénité intérieure. Leur inévitable et perpétuelle nuisance entraîne une déperdition continuelle d'influx nerveux, perturbe la concentration mentale et prédispose à toutes les formes de l'agitation et de l'impulsivité.

Interdire ? Ne comptez pas sur une simple réprobation intérieure pour être obéi. Un entraînement, inspiré par la détermination de demeurer impassible, de vous insurger contre l'acuité de vos nerfs acoustiques et de vos réflexes, un effort renouvelé pour maintenir votre flegme *malgré* tous les tapages possibles vous permettront, en peu de temps, d'édifier un véritable écran entre l'extérieur et vous-même.

Quelle sorte de bruit vous est la plus odieuse ? Attaquez sur ce point principal. Juste au moment où sévit le tintamarre, fixez votre attention sur une besogne, une lecture, l'exécution d'exercices physiques ou toute autre occupation. Gardez — ou, au début, essayez de garder — un visage impassible. Surveillez-vous afin de réprimer le sursaut que provoque ordinairement la fermeture brutale d'une porte, le grincement de gonds rouillés ou la chute d'un objet pesant. Écoutez, en souriant, les voix aiguës ou tonitruantes, sans paraître vous apercevoir qu'elles le sont. Cela engendrera une accoutumance, une sorte d'analgésie. Vous vivrez bientôt isolé de tous les chocs et désagréments auditifs. Quand je dis « vous », j'entends votre ego, siège de la vie mentale. « *Ne perdez jamais de vue*, dit Sadler (5), *que vous c'est votre ego, que votre corps physique est une tour d'observation dans laquelle vous êtes installé et que le monde environnant est l'objet de vos observations.* »

Tous les sens doivent tour à tour passer, comme l'ouïe, sous votre contrôle. Exercez-vous à regarder paisiblement n'importe quel individu, n'importe quel spectacle sans manifester extérieurement la moindre marque d'émotion. Sans les rechercher, bien entendu, ne fuyez ni les effluves désagréables à l'odorat, ni les contacts râpeux, visqueux ou révulsants : considérez-les comme autant d'occasions d'exercer votre imperturbabilité. Chaque menue victoire contribuera à vous acheminer vers la conquête du calme, de la liberté intérieure, de l'indépendance psychique.

On gagne à rééduquer même le goût, c'est-à-dire à ne jamais se dérober à l'essai d'un aliment pour lequel on ressent une aversion irraisonnée. Faites-en l'expérience : vous vérifierez que dans l'appréciation de tel ou tel mets, de telle ou telle préparation culinaire, *l'idée que l'on s'en fait* joue un rôle considérable.

---

5. Sadler : *Succès et bonheur* (Paris, 1906 ; épuisé).

6. Parlez sans hâte

Nous envisagerons plus loin le rôle de la parole considérée comme moyen d'influence, comme tactique de la suggestion. Ici, et ce sera une excellente préparation aux techniques suggestives, nous avons en vue la substitution de l'habitude de parler impulsivement par celle de parler *en réfléchissant*, sans jamais sortir de son calme.

En premier lieu, si votre débit est rapide, si vous vous exprimez avec vivacité comme si vous aviez hâte de vous libérer de ce qui inspire vos paroles, réagissez vite. Prenez votre temps. Parlez posément. Non seulement on vous comprendra mieux, mais ce que vous direz aura plus de poids.

Les réparties contrariantes, objections ou contradictions, ce sont encore des bruits vis-à-vis desquels il convient, tout en écoutant, de ne pas perdre le moindre degré de sang-froid. Même si votre interlocuteur dépasse les limites de la convenance, même s'il s'emballe, devient véhément, grossier, injurieux ou menaçant, ne sourcillez pas. Attendez en paix le tarissement du geyser et répliquez froidement, en termes modérés, d'un ton paisible et assuré. Je prends là un exemple extrême car, au cours de la vie quotidienne, si nous n'obtenons pas toujours la plus parfaite courtoisie, nous subissons rarement de graves intempérances de langage.

La plupart des hommes, aussi enclins à prendre ombrage des conceptions qu'ils ne partagent point qu'à imposer les leurs, hésitent rarement à gaspiller leur temps et leur énergie à s'insurger oralement « contre » ou à s'évertuer « pour ».

Si vous tenez à éliminer toute cause d'agitation, tenez le fait de discutailler comme l'une des plus graves. Abstenez-vous résolument de toute discussion vaine et stérile que n'impose ni un échange de vues d'ordre technique, ni l'administration de votre affaire, ni l'ordonnance, de concert avec ceux qui y coopèrent, du travail qui vous incombe.

Une brève anticipation sur la troisième partie me semble ici nécessaire : sachez que la propriété dominante du magnétisme personnel procède de ce que l'on pourrait appeler l'*ampérage* de force psychique présente à l'intérieur de l'individu. Par un procédé fort simple chacun peut, rien qu'en s'opposant à toute déperdition d'énergie, accumuler celle-ci, comme l'électricité dans une batterie, à une tension d'autant plus élevée que la répression des déperditions est plus rigoureuse.

Or, céder à une impulsion quelconque, notamment à celle de parler sans absolue nécessité, équivaut à une dérivation de courant, à l'affaiblissement de la « batterie intérieure », donc à une altération sensible du magnétisme personnel.

Réprimer avec vigilance l'impulsion verbale, chercher à s'exprimer avec une concision laconique, et toujours en *mode réfléchi* (en pesant ses mots), c'est l'une des conditions essentielles du développement magnétique.

7. Recherchez l'harmonie

Une journée commencée à temps pour s'éviter toute hâte précipitée et un horaire prévu de manière à travailler sans irrégularités ni distractions s'écoule généralement dans un climat tranquille. L'imprévu *réellement imprévisible* surabonde peut-être dans certaines carrières, mais reste exceptionnel pour la plupart d'entre nous. S'il survient, il faut, la réflexion aidant, réorganiser, rajuster le programme primitivement arrêté et, dans tous les cas, ne pas s'en exagérer l'importance. « *Je garde mon sang-froid* », « *Je me ressaisirai toujours* » ; ces deux autosuggestions, constamment présentes à l'esprit, servent de points d'appuis, de stabilisateurs, d'étais, toutes les fois que quelque chose tend à vous désorganiser.

Nous n'avons pas choisi notre entourage initial mais, par la suite, à nous d'éluder la compagnie des agités, des anxieux, des caractères « à surprises » et à leur préférer la société de gens pondérés, doués de tact et de mesure. Par une sorte d'osmose, ces derniers « déteignent » sur ceux qui les fréquentent ; leur personnalité inspire l'ordre intérieur, communique l'apaisement, aide à la relaxation.

*
* *

Avant que je puisse mettre en pratique vos instructions, m'ont écrit en substance d'assez nombreux correspondants, il faudrait d'abord que je sois délivré de tel souci, débarrassé de telle source de contrariété, assuré de telle présence eurythmique. Un semblable état d'âme équivaut à une renonciation.

Aussi peu favorable que soit votre condition actuelle, prenez la décision d'agir maintenant, *malgré* toutes les entraves et toutes les carences présentes. Considérez la difficulté comme le poteau indicateur de la direction à donner à vos efforts.

Compter sur une modification spontanée de ce qui fait obstacle à cet état de contentement auquel vous aspirez, c'est escompter l'improbable. Prendre l'initiative de votre réorganisation sur tous les plans, malgré l'actuelle désorganisation, c'est tabler sur une certitude : celle du résultat qu'engendre toute ingénieuse application.

Seul contre tout et contre tous ? Courage ! **Vous pouvez vaincre !**

A lui seul, le présent chapitre vous a pourvu de principes dont l'observation ne tardera pas à amorcer, dans une mesure surprenante, les modifications que vous souhaitez, et à vous faciliter non seulement ce à quoi vous songez le plus *actuellement*, mais une amélioration continue de votre destin.

8. Du calme à l'assurance

Les premiers pas sont chancelants... regardez le bambin à qui son grand frère apprend à marcher. Mimoun et Ladoumègue eurent aussi, à son âge, l'équilibre incertain ; ils n'en devinrent pas moins les plus prestigieux coureurs de leur époque. Sur le chemin qui mène au renforcement de l'énergie psychique nous avons presque tous, au début, atermoyé, hésité et trébuché. La chose est prévue ; ne vous en affectez pas. Suivez la voie que vous trace ce livre, avec le constant souci du petit progrès quotidien surajouté à celui de la veille. Vous acquerrez sûreté et vigueur mentales, comme vous avez acquis, pour la marche, souplesse et endurance.

Après la conquête du calme, entreprenons celle de l'assurance, état caractéristique de l'homme qui se sent également en pleine possession de ses moyens en présence d'un magnat, en face d'un pauvre hère quêtant l'aumône au coin des rues, comme au contact d'un quelconque citoyen. Ce sera pour vous un jour ensoleillé, celui où après de multiples expériences, vous pourrez vous dire : « *Désormais, j'ai la certitude que personne au monde ne saurait altérer ma lucidité d'esprit, mon assurance.* »

Lors de l'adolescence, une nuance de timidité, d'embarras et de gaucherie (6) est normale, d'ailleurs bien préférable à l'aplomb massif, inconscient des caractères dénués de tact et de discernement, dont l'impulsivité presque animale détermine, sans le moindre souci de sociabilité, actes et paroles (aplomb somme toute évocateur de l'irruption aussi joyeuse qu'inopportune d'un chien parmi des joueurs de quilles).

L'assurance appréciable, raisonnée, résulte toujours d'une rééducation méthodique, d'un entraînement suivi d'efforts soutenus.

Nous acquerrons tous, automatiquement avec le temps, une certaine désinvolture vis-à-vis de nos familiers, de nos compagnons de travail, de ceux à qui nous avons affaire à peu près tous les jours. De là à affronter avec imperturbabilité des personnages ou des milieux très divers, il y a plusieurs étapes, car la possibilité d'influer systématiquement sur autrui présuppose une assurance telle que nul ne puisse nous intimider le moins du monde.

Le rôle d'un bon état organique est essentiel : à la base de presque toutes les timidités persistantes (7) il y a de la faiblesse, de la déficience ou quelque irrégularité fonctionnelle. Tout ce que je vous ai recommandé en vue de l'acquisition du calme (diététique, exercice physique, relaxation, natation...) concourra à diminuer votre impressionnabilité, donc à stabiliser votre assurance. Songez-y en accomplissant ces exercices. Vous en tirerez un apaisement, une tranquillité d'esprit et une impassibilité surprenantes.

---

6. « Les gens d'une espèce noble trahissent, principalement dans leur jeunesse, un manque surprenant de connaissance des hommes et de savoir-faire. Ils se laissent ainsi facilement tromper et égarer (...). C'est un mauvais symptôme au moral comme à l'intellectuel, pour un jeune homme, de se retrouver facilement au milieu des menées humaines, d'y être bientôt à son aise et d'y pénétrer comme préparé à l'avance. Cela annonce de la vulgarité. Par contre, une *attitude décontenancée, hésitante, maladroite et à contresens* est, en pareille circonstance, l'indice d'une nature élevée. » (Arthur Schopenhauer : *Aphorismes sur la sagesse dans la vie* ; P.U.F., collection « Sagesse ».)

7. Au-delà de 20 ans et, plus encore, de 25 ans.

9. Physiologie

Réagir chaque fois qu'une émotion survient, telle sera dès ce jour notre première initiative. Pour faire cesser la constriction du plexus solaire, lieu où se ressent principalement le malaise émotif, voici comment procéder :

Respirer profondément en dilatant d'abord les sommets pulmonaires, puis en élargissant les côtes. Refouler ensuite l'air vers la base des poumons et gonfler ainsi l'abdomen, le creuser. Recommencer trois fois ces deux derniers « temps », lesquels doivent s'effectuer rapidement (trois secondes pour chacun). Enfin, expirez sans hâte et sans effort. Réitérez l'exercice plusieurs fois s'il y a lieu. Aussitôt, l'appréhension, l'anxiété, le trac, la crainte, la peur, le bouleversement intérieur ou l'afflux lacrymal éventuel cessent comme par magie. Innové il y a 40 ans, ce procédé a été désigné par l'expression « *danse du ventre* », très représentative de son exécution. Sa pratique régulière, à titre préventif, après la séance quotidienne de culture physique, désensibilise et immunise. Nous devons recommander, à titre complémentaire, l'abstention de toute ceinture, vêtement ou sous-vêtement compressifs de la région abdominale. On facilite ainsi l'activité respiratoire et le maintien du plexus solaire en relaxation.

De très nombreux jeunes — et même quantité d'adultes plus ou moins émotifs ou timides — souffrent d'un mal susceptible d'engendrer une obsession paralysante : je veux parler de l'éreutophobie (8) jusqu'au rougeoiement brusque (dû à la vasodilatation des capillaires du visage) dès que la crainte la plus fugitive de rougir envahit le champ de conscience. Les plus hardis, les plus valeureux ou les plus intrépides n'en sont pas toujours exempts. Un visage agréable, un corps aux proportions parfaites ou une facilité normale d'élocution ne préservent pas nécessairement de l'éreutophobie. Que ce fâcheux phénomène ait une source psychique, c'est évident. Mais il existe aussi des causes purement somatiques, car tous les hyperémotifs n'en sont pas affligés.

L'amélioration de l'amplitude respiratoire tend à atténuer les vasodilatations faciales, mais il importe de régulariser plus parti-

---

8. Crainte excessive, voire pathologique, de rougir.

culièrement le système circulatoire. L'homéopathie et la phyto-
thérapie peuvent apporter des solutions efficaces dans ce problème ;
n'hésitez pas à consulter.

Loin de fuir les circonstances ou les personnes qui provoquent
son rougeoiement, l'éreutophobe a au contraire intérêt à les rechercher, à les affronter carrément le plus souvent possible, car l'accoutumance émousse tout, même les impressions pénibles.

10. Psychologie du timide

Le timide s'exagère à la fois l'importance de sa personnalité
aux yeux d'autrui et le sens critique des gens qui le regardent (souvent fort distraitement d'ailleurs !). Il a l'impression que partout
où il passe il éveille une attention spéciale, qu'on l'examine minutieusement, que l'on observe et que l'on tourne silencieusement en
dérision les défectuosités qu'il se suppose. Là où de toute évidence
nul ne prend garde à lui, il se sent scruté avec une insistance mal-
veillante jusque dans les plus minuscules détails. Le trouble atteint
son summum quand l'intéressé a la certitude positive d'être le centre
des regards : en visite, au cours d'une démarche, lors d'un entretien particulier avec une personne sur laquelle l'impression qu'il
produit peut avoir pour lui des conséquences qu'il estime capita-
les. Envahi par la crainte d'une blessure d'amour-propre, sa lucidité mentale se trouble. Il commet alors des étourderies et des bévues
qui mettent le comble à sa confusion. L'indifférence, la froideur,
l'ironie et l'antipathie le meurtrissent exagérément. C'est qu'il atta-
che plus d'importance à l'appréciation d'autrui qu'à sa propre
appréciation.

A l'origine de tout cela, nous trouvons le désir de l'approbation, le plus fâcheux dérivé de la vanité. A partir de l'instant où
vous déciderez une fois pour toutes qu'en ce qui vous concerne
votre propre appréciation l'emporte sur celle de tous, à partir du
moment où vous contiendrez toute parole, toute impulsion à dire
ou à faire quoi que ce soit en vue de donner aux autres une opinion flatteuse de votre savoir, de vos talents, de votre mérite ou
de votre supériorité, vous ressentirez une délivrance analogue à celle
d'un captif devant lequel s'ouvrent toutes grandes les portes de

la liberté. Tous mes devanciers ont insisté sur le fait que satisfaire le désir de l'approbation entraîne automatiquement une sensible déperdition d'énergie psychique, cette énergie dont l'accumulation dans la « batterie intérieure » constitue l'essentiel élément du magnétisme personnel, de ce dynamisme intérieur, qui engendre silencieusement, au sein des mentalités environnantes, une tendance à se montrer envers vous empressées, agréables et utiles, à rechercher votre sympathie, votre compagnie et vos bonnes grâces, malgré votre apparente indifférence et votre expression aussi distante que courtoise. Ne perdez pas de vue que l'effet le plus rapide du refus de satisfaire le désir de l'approbation est de fortifier l'assurance (9).

Vous pouvez, vous devez devenir un centre puissant d'attraction. Alors les satisfactions que vous avez peut-être jusqu'ici recherchées, sollicitées ou quémandées en vain viendront d'elles-mêmes à vous, même dans la plus profonde solitude.

11. L'attitude mentale à adopter

A partir de maintenant, tous ceux qui, hier encore, vous affectaient et devant lesquels vous aviez le rôle passif ou même craintif, deviennent vos « sujets » d'expérience, d'entraînement. Ce sera vous, désormais, qui les influencerez.

Tout d'abord, ramenez chacun à sa vérité. Dépouillez-le des étais vestimentaires de sa façade. Cet homme aux allures altières, à la voix péremptoire — que ce soit un prince de l'armorial, de la science ou de la finance, un potentat de l'industrie, un brasseur d'affaires par milliards, un prélat magnifiquement vêtu ou un maréchal constellé — imaginez-le nu, éclairé par l'impitoyable lumière d'un soleil d'été. Vous ne lui trouverez plus grand-chose d'imposant ni d'esthétique. Aux côtés d'un jeune culturiste harmonieusement ciselé, disons d'un simple sapeur-pompier de Paris, ne semblerait-il pas pitoyable ?

Sa valeur ? Pas question de la lui contester, mais bien de vous rendre compte qu'elle ne représente qu'une faible part dans

---

9. Voir, du même auteur : *La Timidité vaincue* (Éditions Dangles).

l'impression que l'homme vous produit. Ce qui vous affecte, c'est votre propre mirage, c'est l'*idée que vous vous faites* du « sujet ». D'ailleurs, de l'homme de grande supériorité, toujours sobre de contenance, mesuré dans ses propos, compréhensif et courtois, émane un magnétisme personnel apaisant, réconfortant et agréable. Il vous communique un peu de sa propre harmonie. Sa présence stimule vos facultés, ne les entrave jamais.

L'extériorité de la plupart des êtres, fragile apparence derrière laquelle un peu de sagacité détecte vite des caractéristiques toutes différentes de celles que semblait signifier leur aspect visible, ne déconcerte bientôt plus le psychologue résolu à ne tenir compte que du réel.

Chez les supérieurs comme chez les médiocres, il existe à côté de qualifications plus ou moins brillantes d'indéniables déficiences. En regard de certaines facilités de compréhension, on découvre invariablement, quand le sujet a été analysé, de surprenantes obnubilations. Les esprits les plus circonspects et les plus rigoureux sous certains rapports s'avèrent crédules et naïfs comme des enfants pour certaines choses. La volonté la plus ferme a ses hésitations, ses fléchissements, de même que la sensibilité la plus rudimentaire témoigne parfois de délicatesses imprévisibles. Et puis, à l'origine de toute irritabilité ou impatience excessives, à l'origine des attitudes empreintes de morgue, de dureté ou d'impériosité, on trouve, en cherchant bien, un élément causal morbide :

— Un trouble viscéral (estomac, foie, reins, intestins) suffit, en raison du malaise continuel qu'il inflige, à irriter les nerfs, à rendre désagréable, malveillant et même méchant.

— Un mécontentement profond, quelque préoccupation obsédante que le « sujet » ne sait pas surmonter, influent malencontreusement sur sa sociabilité.

— L'homme dépourvu de l'autorité, du prestige ou de la notoriété qu'il aimerait détenir masque souvent sa faiblesse par de l'arrogance. Il croit se donner de l'importance en arborant une attitude distante ou méprisante.

— De graves déconvenues, dans une carrière ou dans la vie intime, créent un état de mécontentement continuel. Ce peut être le cas de votre chef ou de tel personnage si rétif en affaires que vous appréhendez le moment de le voir.

L'analyse de tout état émotionnel — l'intimidation ressentie en est un — et de ses origines tend à en prévenir le retour. C'est par l'analyse que les choses meurent.

Tout en vous livrant à l'observation et à l'analyse, faites un effort pour mettre à profit les possibilités d'influence que vous avez déjà : calme, impassibilité extérieure et force-pensée. Quand vous « encaissez » avec tranquillité, indifférence et froideur des regards comminatoires, des paroles sèches, des critiques ou des injonctions, soyez certain que votre attitude impressionne l'autre. Vous influez sur lui dans la mesure même où il constate le caractère inopérant de ses regards et de ses paroles. Le calme de votre expression, la sobriété de vos répliques, l'impassibilité de votre attitude déconcertent votre interlocuteur. Il s'en irrite peut-être. A lui alors le rôle ridicule du frénétique, à vous celui de l'homme qui se maîtrise souverainement et dont nulle provocation ne réussit à entamer la dignité. D'ailleurs, votre comportement, maintenu jour après jour, heure après heure, usera graduellement la pugnacité de l'adversaire. Son attitude, vis-à-vis de vous, ne tardera pas à se modérer. Vous lui inspirerez une considération à laquelle il résistera peut-être un certain temps, mais qui l'emportera finalement dans la balance.

12. L'ouverture au monde

a) Préparation aux « chocs »

Les exigences sociales ou professionnelles nous mettent chaque jour en présence d'un certain nombre d'individualités. Toutes ne sont pas harmonieuses ; certaines se situent même du désagréable à l'odieux. Prenez un moment — soit au réveil, soit avant de dormir — et, sur l'écran de votre imagination, évoquez successivement l'aspect et les caractéristiques de chacun des personnages dont le contact vous opprime, en commençant par le plus détestable. Donnez à cette représentation le plus de vie possible. L'aspect visuel statique ne suffit pas : la voix, la démarche, les poses, les expressions, le langage habituel, tout doit émerger de votre mémoire et animer le portrait fictif.

Et maintenant, laissez sourdre toute votre réprobation, tout votre ressentiment. Insurgez-vous. Empoignez (en imagination) votre personnage, secouez-le, giflez-le si le cœur vous en dit, envoyez-le d'une bourrade au fond de son fauteuil ou à terre. Admonestez-le énergiquement (10). Intimez-lui l'ordre de se montrer plus modéré. Affirmez-lui que toute possibilité de vous affecter s'évanouit, et que devant vous il se trouve en face d'un bloc de granit contre lequel il s'écorchera avant de l'entamer d'un millième de millimètre.

Ce procédé aura deux effets : il fortifiera votre autocontrôle et votre assurance, il influera (télépsychiquement) sur chacun de vos « sujets », atténuant considérablement leur animosité ou leur prétention.

Quand vous avez en perspective quelque entrevue exceptionnelle avec une personne que vous ne connaissez pas encore ou que vous connaissez peu, préparez-vous avec l'intention de forger les meilleures dispositions desquelles vous souhaitez vous trouver pourvu au moment de l'entrevue. Confortablement assis, les muscles relâchés, au repos, dans le silence, ruminez l'objet de votre débat, cherchez pour votre exposé des formules claires et concises. Tâchez de prévoir les objections qui pourraient vous être opposées et de composer les réparties les plus adroites. Ici encore, l'imagination peut concourir avec grande efficacité à votre succès. Une sorte de « répétition mentale » de la scène prévue fera surgir de votre subconscience de multiples inspirations et vous prédisposera à une attitude sans embarras.

Bien entendu, comptez avec la surprise. Votre futur interlocuteur et ses réactions fort distinctes de celles dont vous vous étiez forgé l'idée vous déconcerteront peut-être dans une certaine mesure. En les observant, à vous de « rectifier le tir » et de viser à obtenir au moins l'acceptation d'une seconde entrevue que vous préparerez alors plus lucidement que la première grâce aux observations que vous aura permises celle-ci.

Entrer dans un imposant édifice, remplir le réglementaire formulaire : « Nom du visiteur, objet de la visite », attendre plus ou

_____

10. La colère contenue, silencieuse, est à l'homme ce que la foudre est à la nature. Voir, du même auteur : *L'Influence à distance* (Éditions Dangles).

moins longuement puis pénétrer dans la pièce où siège un fonctionnaire, un employeur, un possible client qu'il va falloir solliciter, ne semble pas engageant. Pour vous, ce sera l'idée que vous vous en ferez. En semblable occurrence, faites-vous l'idée que « c'est du sport ».

N'éludez jamais une démarche : considérez toute démarche comme un exercice. Qu'elle se solde par un succès ou un échec, cela reste secondaire : il vous restera dans les deux cas le bénéfice d'une accoutumance à affronter la difficulté. Pour apprendre à nager, il faut d'abord « se mettre dans le bain ».

Tout démarcheur professionnel a connu les hésitations du début et les a surmontées. Au bout d'un certain temps, il accomplit ses fonctions aussi sereinement qu'un copiste réécrit des textes. Pour lui, c'est réellement devenu « du sport ». Si peu accessible que semble celui auprès duquel il essaie de se faire introduire, si imposant que soit le décor, si cérémonieuse la réception, il y trouve une satisfaction proportionnelle.

Je connais d'excellents reporters. L'un deux me confiait récemment qu'à ses débuts — alors qu'il s'agissait d'enquêtes banales — il ne se résolvait à franchir un seuil qu'après de longues allées et venues devant la façade. Aujourd'hui, il se présente chez un ministre ou un chef d'État sans le moindre embarras, car l'idée qui prédomine en lui n'est plus celle de l'incertitude de l'accueil qui l'attend, mais celle de l'intérêt qu'il va prendre à l'entretien projeté.

b) Milieux nouveaux

Tout ce qui contrarie notre attachement aux routines habituelles, tout ce qui requiert de l'initiative, de l'adaptabilité, semble à presque tous ennuyeux. Ainsi, lorsqu'il faut aborder un milieu distinct de ceux qui nous sont familiers, rien de surprenant à notre faible enthousiasme. A la réflexion, où que nous puissions pénétrer nous trouverons, à quelques variantes près, les mêmes entités humaines, agies par les mêmes ressorts et à l'intérieur desquelles, écrivait en substance Péladan, « *la vieille boîte à musique moud inlassablement les éternels vieux airs* ».

Demandez-vous : « *Est-ce que je vais enfin voir quelqu'un ou quelque chose qui sorte de l'ordinaire ?* » et posez-vous les questions suivantes :

— Quels mobiles ou intérêts communs réunissent les gens composant le milieu où je vais pénétrer ?

— De quoi, par conséquent, sont-ils préoccupés ?

— Quel sera leur nombre ?

— Ai-je des indications permettant d'évaluer approximativement leur niveau culturel ?

— Y a-t-il quelque chose qui caractérise certainement un ou plusieurs d'entre eux ?

— En quoi mon rôle ou ma présence leur importent-ils ?

— Qu'ai-je à faire là ?

— Quelle importance ont-ils pour moi ? A quel point de vue ?

— De qui ou de quoi dépendent-ils, et quelle influence peuvent-ils avoir ?

— Favorable ou non, leur attitude m'importe-t-elle ?

— Puis-je évaluer à peu près l'étendue et les limites de leurs possibilités ?

— Ai-je des raisons de me croire en infériorité parmi eux ?

— Que pèse cette visite en regard des objectifs les plus importants de mon existence ?

Les réflexions amorcées par ce questionnaire vous familiariseront par avance avec « l'honorable société ». Neuf fois sur dix, vous serez rasséréné, surpris et déçu tout à la fois, comme à l'arrivée dans un site dont vous vous étiez forgé une idée bien plus originale que la réalité.

13. Les grands moyens

Le maximum possible d'assurance, je ne l'ai observé que sur deux catégories d'individus : les praticiens de l'hypnotisme et les orateurs professionnels. C'est que l'acquisition d'une virtuosité parfaite dans la mise à exécution des procédés hypnotiques, comme dans l'art de parler en public, nécessite un entraînement synergique de toute première efficacité.

— Un expérimentateur assidu (11) surmonte en quelques semaines tous les éléments possibles et imaginables de timidité. Bien mieux, il prend l'habitude de cette attitude mentale résolue et dominatrice d'où procède dans une large mesure l'influence personnelle (12).

— L'orateur parvenu à s'exprimer devant quelques centaines de paires d'yeux, sans plus de gêne que devant une salle vide, exercé à suivre le fil de sa pensée tout en surveillant ses intonations et sa diction, s'est acquis pour la vie courante une aisance exceptionnelle, bien supérieure à celle du conférencier qui lit un texte rédigé à l'avance.

L'hypnotisme a ses partisans, ses détracteurs et même ses négateurs (13). Aucune discussion sur ce sujet n'a sa place dans ce livre. Je fais simplement appel à la vérification expérimentale de ceci : toute personne qui s'appliquera consciencieusement à provoquer, sur une centaine de sujets de tout âge, les six expériences classiques (14) de suggestion à l'état de veille acquerra une assurance insurpassable.

---

11. S'il effectue des tentatives sur de nombreux sujets, et non pas s'il s'escrime constamment sur la même personne.

12. « Il existe, dit le docteur La Motte Sage, une influence subtile et invisible qui se dégage d'une volonté ferme et forte et qui contrôle les autres, bien mieux que toutes les paroles ne le pourraient. Celui qui possède cet avantage peut, à juste titre être considéré comme une puissance inébranlable. Du moment où vous venez en contact avec une telle personne, vous ne pouvez vous empêcher de le sentir. Il n'existe aucune raison pour que vous n'acquerriez pas ce pouvoir. Vous avez les facultés mentales voulues. A vous de les exercer. » (*Cours supérieur de magnétisme personnel,* New York Institute of Science, Rochester, N. Y., U.S.A., 1903.)

13. Pour ces derniers, tout serait simulation ! Oublie-t-on que 18 ans avant la découverte du chloroforme, en 1847, de nombreuses opérations chirurgicales furent déjà réalisées sur des patients en état d'anesthésie hypnotique, à commencer par l'intervention pratiquée le 12 avril 1929 par le célèbre docteur Cloquet. Aux anesthésiques chimiques, l'hypnose fut d'ailleurs longtemps préférée. On trouvera dans la *Gazette des hôpitaux,* de 1830 à 1850, de nombreuses relations d'opérations sous influence hypnotique, notamment celle des docteurs Ribaud et Kiaro dont le récit se trouve dans le numéro du 20 octobre 1959 de cette revue. Inutile de rappeler ce qui se fait de nos jours en anesthésie hypnotique, dans de nombreux hôpitaux et cabinets privés, ni l'utilisation de l'hypnose en psychologie et en pédagogie !

14. Voir, du même auteur : *Théorie et pratique de l'hypnotisme* (Éditions Dangles).

Au cours des quarante années actives de ma carrière, que de timides sont venus me demander de les délivrer par l'hypnotisme ! Ils voulaient dire : « *en m'endormant et en me suggestionnant* ». Loin de consentir à aggraver leur passivité — ce qu'auraient inévitablement déterminé les 20 à 30 séances nécessaires — je les engageais, au contraire, à devenir eux-mêmes des hypnotiseurs ; je les exerçais d'abord sur des sujets sensibles, puis sur une série d'autres sujets de moins en moins suggestibles. De tels exercices nécessitent une parole forte, distincte et ferme. L'intéressé auquel je faisais répéter 15 à 20 fois la même formule, jusqu'à ce qu'il la débite correctement avec un parfait automatisme, se transformait rapidement. Jusqu'alors, il n'avait parlé que d'une manière hésitante ; sans transition, il se trouvait amené à parler haut et impérieusement.

Dès la première séance, par un effet réflexe que j'ai constaté chez tous, la parodie d'autorité indispensable aux exercices laissait une trace durable dans l'esprit du nouvel initié. Il lui restait quelque chose de l'attitude mentale que je m'efforçais de lui faire prendre pendant la leçon.

Ceux qui, sur mon conseil, après avoir terminé leur cours effectuèrent de nombreuses tentatives expérimentales — malgré l'inévitable proportion d'échecs, malgré la nécessité de faire face aux ironies, aux critiques et aux qualificatifs dont le vulgaire use volontiers à l'égard de ceux dont la mentalité lui semble singulière — ont acquis d'une part cette sûreté dans l'exécution des procédés qui augmente considérablement la proportion du succès, d'autre part une assurance qu'aucun autre moyen ne donnera jamais.

Analogue au praticien de l'hypnotisme, l'homme qui parle à de nombreux auditeurs manie une forme très subtile de suggestion. De même qu'au premier, un long entraînement est nécessaire pour devenir sûr de lui et répondre avec la plus parfaite tranquillité aux interrupteurs ou contradicteurs ; là encore l'obstacle ne s'effrite que peu à peu. Si doué et préparé que l'on soit, pénétré de son sujet, animé d'une ardente conviction, armé au surplus de tous les artifices d'une habile rhétorique, les premières allocutions, causeries ou conférences ne se dérouleront pas sans quelque hiatus mnémonique ou embarras verbal. A la vingtième tout ira mieux. A la centième, la partie sera gagnée, et pour toujours.

Quand vous êtes seul : au cours des heures où nul ne vous observe ou ne vous dirige, maintenez sur vos attitudes et vos actes votre propre surveillance. Vous renforcerez ainsi la suprématie de votre pensée réfléchie, de votre volonté délibérée sur vos instincts, vos impulsions et votre imagination. Il s'ensuivra une atténuation rapide de l'impressionnabilité qui subordonne votre sérénité à l'attitude des autres. Vous conquerrez ainsi l'indépendance intérieure. Votre confiance en vous et votre assurance s'affirmeront dans la mesure où vous les justifierez par un vigilant et rationnel auto-contrôle.

CHAPITRE IV

L'éducation du regard

1. Considérations générales

« *Le regard exerce une puissante influence* »... lit-on invariablement dans la quasi-totalité des cours publiés sur la question. Selon nous, il serait plus exact de dire : « exerce, *dans certaines conditions,* une influence appréciable ». En effet, les yeux n'ont par eux-mêmes pas plus de propriétés influençantes qu'une ampoule électrique n'a de propriété éclairante, tant qu'elle ne reçoit pas, d'une génératrice, le courant créateur d'incandescence. Ce ne sont pas principalement les yeux qui comptent, fussent-ils de feu, mais ce qu'il y a derrière l'appareil optique : le cerveau, l'ampérage et le voltage psychiques.

La recherche des lois de l'influence personnelle se poursuivit, au début, simultanément avec celle des lois de l'hypnotisme. La fixation du regard semblait indispensable à l'obtention de l'hypnose, bien qu'en réalité elle ne devienne un moyen de valeur qu'après un laborieux entraînement. En 1841, le docteur Braid (de Manchester), qui ne croyait pas au magnétisme, réussit à hypnotiser la plupart des gens qui acceptèrent de passer à l'épreuve, cela par la fixation d'un point brillant, en l'espèce l'extrémité supérieure d'un porte-lancette nickelé. Depuis furent innovées les boules dites hypnotiques (docteur Sage), le miroir rotatif (docteur Luys), l'emploi d'une bague pourvue d'un volumineux strass à multiples facettes (Pickmann), un disque portant 8 à 10 cercles concentriques noirs sur fond clair (Warthon) et d'autres objets similaires. Maintenir le regard fixé à un point et l'esprit sur une pensée, tel devint le principe directif.

Un peu plus tard, on découvrit que la pression des globes oculaires, voire leur simple occlusion maintenue par les doigts de l'expérimentateur, suffisait — chez les prédisposés du moins — à provoquer le sommeil artificiel. Cela n'implique pas que le regard ne puisse également déterminer l'hypnose et, d'autre part, influer au cours de la vie quotidienne sur nombre de gens sans qu'ils aient conscience de subir un ascendant quelconque, cela dans la mesure où la vigueur psychique coexiste avec l'intention.

2. S'immuniser d'abord

L'effet qu'un regard produit sur celui qui le sent braqué vers le sien est avant tout fonction du degré d'impressionnabilité de ce dernier. On « fait les gros yeux » à l'enfant que l'on réprimande, mais l'on n'intimide pas également par cette mimique *tous* les enfants. A certains la chose semble même ridicule : ils rient. D'autres, affectés les premières fois, s'accoutument et poursuivent paisiblement leurs jeux comme si l'on ne prenait pas garde à ce qu'ils font. J'en ai vu s'auto-immuniser en détournant la tête : se sentant influencés, ils se dérobaient adroitement.

Si quelqu'un cherche à vous influencer, imitez l'enfant. Ne détournez pas la tête, mais portez votre propre regard à 2 ou 3 cm au-dessous, au-dessus, à droite ou à gauche de celui de l'autre. Cela permet de peser ce qu'il dit, de réfléchir à ses paroles sans distraction, car le sens critique échappe alors à toute pression, à toute altération. Le discernement conserve sa lucidité normale. Prendre cette habitude est le premier principe de l'éducation du regard.

En second lieu, quand vous parlez à votre tour, orientez votre ligne de mire vers le point médian situé entre les yeux de celui ou de celle à qui vous vous adressez. Cela sans prétendre l'influencer au sens dominateur du terme, mais en vue d'accaparer son attention, de la « fixer à un point », ce qui tend à freiner l'activité de ses facultés conscientes, à endormir — disons à assoupir — la sentinelle qui veille à la porte de sa subconscience, passivement suggestible par définition, de manière que vos affirmations ou suggestions s'enregistrent sans un préalable et trop rigoureux examen (1).

En vue d'aider à vous immuniser, je vous engage à analyser, en observant les uns et les autres, ce que l'impression produite par leur regard doit à la structure qui encadre les yeux, à la densité et à la longueur des cils et des sourcils, à l'ouverture plus ou moins large des paupières, au brillant de la cornée et à la pigmentation claire ou foncée de l'iris. Vous vous rendrez compte de la fantasmagorie qu'éveillent dans l'imagination de simples apparences. Que de roseaux peints en fer ! Celui-ci, avec sa broussaille sourcilière et sa voix de basse, on l'imagine volontiers « terrible ». Cet autre, aux yeux particulièrement vifs et lumineux, a cette expression incisive que l'on croit inséparable d'un esprit pénétrant ou d'un « pouvoir magnétique » intense. Au vrai le premier se montre très abordable, bénin et le second simplement nerveux.

La couleur de l'iris fournit un indice plus révélateur que toutes les autres particularités, lorsque cette couleur apparaît nette et accentuée :

— Des yeux noirs bien foncés révèlent une ardeur psychique exceptionnelle à l'origine de laquelle il y a de la passion — au sens moral du terme — et une violence contenue. En présence de pareils yeux, soyez sûr que le sujet ne peut aimer ou haïr qu'avec une intensité aveugle. C'est un caractère entier, ombrageux, susceptible, enclin à tenter de régenter tout ce qui l'entoure et auquel mieux vaut ne pas faire ouvertement obstacle, ni surtout donner prise.

— Bleus faïence ou bleus acier, les yeux révèlent l'homme d'action, de froide et tenace résolution, implacable et dur. Avec le bleu franchement pâle nous avons les rêveurs, les contemplatifs, les sentimentaux, les insouciants, toujours plus ou moins enjoués, superficiels et passifs.

— La gamme du brun au marron semble indicielle d'aptitudes idéologiques. De nombreux intellectuels ont cette nuance d'yeux.

Le jaune et le vert signifient l'originalité des tendances cérébrales, affectives et sensorielles, originalité parfois ingénieuse, par-

_____

1. Voir l'ouvrage d'Antoine Luzy : *La Puissance du regard* (Éditions Dangles).

fois fantaisiste, parfois anormale. Le vert implique un nervosisme paroxystique, avec des moments frénétiques et des manifestations explosives.

Notons enfin que la pigmentation grise coexiste presque toujours avec des dispositions objectives, circonspectes, expérimentalistes et une pondération peu commune.

3. L'œil considéré comme objet brillant

Toute surface brillante retient l'attention et tend à altérer l'acuité de la conscience psychologique, en d'autres termes du discernement de ceux qui la regardent. L'extrême aboutissement de cela, c'est-à-dire l'hypnose, va jusqu'à la mise en veilleuse et parfois à l'extinction de l'activité du psychisme supérieur et jusqu'à la subordination à l'opérateur de la vie subconsciente (psychisme inférieur) de la volonté et des actes du sujet. Schématiquement, les deux psychismes se représentent ainsi :

Psychisme supérieur :		Psychisme inférieur :	
Conscience psychologique	Discernement Auto-analyse Critère logique	Subconscience	Automatisme Imagination
Pensée réfléchie	Raison Attention volontaire Volitions et inhibitions délibérées	Pensée spontanée	Tendances Impressionnabilité Émotivité Sensibilité Souvenirs

Pour favoriser le brillant de la cornée, il convient, tout d'abord d'éviter les intoxications quelles qu'elles soient, en particulier celle de l'alcool et des aliments riches en purines, cholestérol, urates et oxalates. Au surplus, le bain d'yeux quotidien avec un collyre extrait la couche de poussière qui assombrit plus ou moins la superficie des globes oculaires. Une œillère, un flacon d'optraex (ou autre collyre) permettent non seulement d'acquérir plus d'éclat, mais aussi de tonifier l'orbiculaire des paupières, donc d'accentuer l'ouverture de celles-ci.

En travaillant ou en lisant, on sait que l'éclairage le plus favorable se situe à gauche et qu'un abat-jour de couleur verte exerce un effet reposant.

Avant de commencer à s'entraîner à l'influence du regard, il convient de se rendre maître du réflexe palpébral. Pour cela, en lisant ou en écrivant, veiller à garder les yeux ouverts, sans ciller, d'abord 1 ou 2 minutes, puis 5, 10, 15 minutes. En poursuivant cet essai on arrive fort bien à passer des heures sans le moindre clignement. Le besoin de ciller disparaît si, au lieu d'y céder, on élève volontairement la paupière supérieure.

A temps perdu, dans le métro ou le chemin de fer par exemple, choisir un point (brillant ou non) et s'efforcer d'y maintenir son regard fixé. On choisira d'abord une « cible » située sur le même plan horizontal que les yeux, puis on passera à une zone plus élevée, plus basse, puis on s'exercera vers la droite et vers la gauche. Au moindre symptôme de fatigue (picotement, larmoiement) il faut s'arrêter et ne reprendre la fixation qu'après disparition de toute sensation désagréable. En « travaillant » votre regard, gardez une expression neutre : ne froncez pas les sourcils, maintenez la relaxation de vos muscles faciaux, banissez toute tension visible ou intérieure.

4. Premiers essais d'utilisation du regard

A partir du jour où vos yeux, votre réflexe palpébral et votre expression physionomique se trouvent sous votre contrôle, adoptez la ligne de conduite suivante :

En travaillant, en parlant aux uns ou aux autres, ou en les écoutant, gardez une froideur absolue. Que vos yeux, normalement ouverts, clignent le moins possible, que vos pensées, vos réactions — si intenses soient-elles — ne modifient rien à votre expression tranquille, impassible et indéchiffrable. Bien entendu, s'il y a lieu d'exprimer délibérément une certaine disposition d'esprit (si, par exemple, vous avez à féliciter quelqu'un, à encourager un malade ou à exprimer des condoléances), appliquez-vous à donner volontairement à votre visage l'expression convenable, sans perdre de vue, cependant, que ce que vous direz et la manière dont vous le direz importent plus encore que le regard ou l'expression. Ne trahissez jamais, sous aucune considération, votre inquiétude, votre chagrin, votre mécontentement ou votre réprobation. Maîtrisez-vous à tout instant, quelles que soient les circonstances ; vous donnerez ainsi l'impression d'une force au repos. Votre regard retiendra ceux de vos interlocuteurs, lesquels vous écouteront alors avec attention.

Si l'on vous adresse des reproches, écoutez, ne vous récriez pas et semblez prendre bonne note. S'ils sont mal fondés, cela ne tardera pas à devenir évident et votre attitude impassible vous vaudra alors une considération méritée. Si, au contraire, vous êtes l'objet de compliments, accueillez-les sans marque excessive de satisfaction et gardez présent à l'esprit l'un de nos principes fondamentaux, à savoir qu'en ce qui vous concerne, *votre* approbation justifiée a plus d'importance que celle de qui que ce soit.

Mieux vous observerez la règle de ne jamais témoigner d'empressement, ni faire d'avances, de ne rechercher ni la flatterie, ni la sympathie, ni l'admiration, plus il y aura de gens animés du désir d'obtenir vos bonnes grâces. Là encore, un regard absolument calme et indifférent vous assurera la recrudescence des tentatives de vos courtisans. Moins vous semblerez attacher d'importance à leurs sentiments — réels ou affectés — plus avivé sera leur désir de vous plaire.

D'une manière générale, moins vous permettez aux sentiments et désirs qui vous animent de se révéler, plus secrets resteront votre savoir, vos opinions, vos desseins, plus intense deviendra votre puissance attractive.

5. Magnétisme physique et regard

Nous émettons tous une irradiation purement biologique : le magnétisme animal, dont le champ d'action ne dépasse pas 2 à 3 mètres (2). Autour de chacun de nous, en vagues concentriques,

---

2. J'ai vérifié en maintes occasions cette influence absolument distincte de l'influence psychique. Chaque fois que je m'éloignais de 5 à 10 mètres d'un sujet endormi soit par des passes, soit par des procédés hypnotiques, le sommeil ne tardait pas à devenir plus léger, puis à se dissiper.

un champ magnétique s'extériorise de toutes les surfaces du corps, mais particulièrement des pointes (cheveux, cils, sourcils, extrémités digitales). L'intention, la décision de diriger cette irradiation vers un point quelconque de l'anatomie d'un « sujet » permet au magnétiseur d'affecter utilement son patient. Si, notamment, on laisse tomber doucement le regard sur le plexus solaire d'un malade plus ou moins agité, on exerce une action sédative et celui-ci ne tarde pas à se sentir envahi par une douce somnolence. Sur les gens de votre entourage particulièrement fébriles, nerveux ou insomniaques, utilisez la projection (à 1 ou 2 mètres de distance) des effluves émis par vos yeux. Cela contribuera à l'assurance de votre regard et fera grand bien à vos patients.

La détection des personnes dites « sensitives » au magnétisme animal peut s'effectuer à leur insu, à l'aide du regard. Il suffit de diriger celui-ci, sans intention spéciale, sans la moindre tension cérébrale (sans « penser » ni « vouloir ») vers la nuque, entre les omoplates ou sur une vertèbre dorsale quelconque. Essayez sur chacun de ceux qui, occasionnellement, se présentent à vous dans une position favorable. Sept à dix pour cent des sujets ressentiront des effets bien nets (tressaillement, tendance à pencher en arrière, à se retourner et parfois chute rapide, à laquelle il faut toujours songer afin d'intervenir avant que le sujet ne tombe sur le plancher). Tous ceux qui éprouvent de tels effets seraient aisément induits au sommeil magnétique et bon nombre manifesteraient à l'état somnambulique des dons de voyance exceptionnels.

*
* *

6. Exercices classiques

Après avoir pris l'habitude de vous conformer aux recommandations générales qui précèdent et avoir réalisé quelques tentatives d'influence physique par les yeux, le moment sera venu de passer à l'entraînement décisif. Parmi les nombreux cours publiés tant en France qu'à l'étranger, j'ai trouvé quelques exercices particulièrement judicieux combinant l'affermissement du regard et la subordination de la force nerveuse à la volonté (3). Leur pratique ne contribue pas uniquement à l'éducation du regard, mais fortifie l'assurance et confère à l'expression générale ce quelque chose de décidé qui renforce l'influence personnelle. Les voici, adaptés de l'anglais :

1. Prenez un morceau de papier blanc de format 7,5 × 10,5 cm, ni trop épais, ni trop mince. Tenez-le entre le pouce et l'index, par l'un des coins inférieurs, la main à peu près à 25 cm de la poitrine, l'épaule en avant du corps. Fixez un petit cercle de papier sur une glace, en face de vous, et tenez le papier de manière à ce que le coin opposé du haut soit exactement sur la même ligne fictive que l'œil et le petit cercle de papier. Maintenez cet alignement durant 12 secondes, sans dévier de la ligne droite, même de l'épaisseur d'un cheveu.

2. Effectuez l'exercice précédent avec un papier blanc de format 10,5 × 15 cm.

3. Utilisez ensuite une feuille de 15 × 21 cm.

4. Utilisez maintenant une feuille normalisée de format 21 × 29,7 cm. Prenez de votre autre main un verre à pied aux deux tiers plein d'eau. Tendez votre bras pour placer ce verre, tenu verticalement par son pied, à 25 cm derrière la feuille de papier maintenant tenue horizontalement. Maintenez, en visant avec votre regard, les 2 lignes horizontales (surface de l'eau dans le verre et bord supérieur de la feuille papier) sur un même axe fictif, le plus longtemps possible.

5. Répétez les exercices 1, 2, 3 et 4 en les accompagnant d'une respiration profonde et prolongée.

6. Lentement et doucement, amenez chacun des 4 doigts d'une de vos mains en contact, sans pression, avec votre pouce resté absolument immobile.

7. Fermez une main, bras tendu devant votre visage, face palmaire vers le haut. Dressez votre index verticalement, au niveau de votre regard. Conservez cette position de 30 à 60 secondes, sans bouger le bout du doigt de l'épaisseur d'un cheveu (prenez un repère visuel sur le mur qui vous fait face).

---

3. Exercices extraits de *Personnal Magnetisme,* du révérend Paul Weller (New York State Publishing Co., Rochester, N.Y., U.S.A., 1905).

8. Asseyez-vous et relâchez vos muscles le plus possible. Conservez cette position de 5 à 30 minutes sans le plus petit tressaillement des bras, des doigts, des orteils, de la tête ou des paupières.

9. Tenez-vous debout, rigoureusement immobile, durant une minute, votre esprit fixé sur votre regard.

10. Tenez-vous pendant 5 minutes immobile comme la mort, debout les mains pendantes à vos côtés, l'œil fixant quelque objet.

11. Levez un bras devant le corps, poing légèrement fermé, à 30 centimètres environ de l'œil. Accentuez graduellement la fermeture du poing jusqu'au maximum possible, sans bouger la main par rapport à un repère visuel situé face à vous.

12. Rentrez les épaules et regardez droit devant vous. Inspirez profondément en dilatant la poitrine. Contractez les muscles du cou, lentement, graduellement, jusqu'au maximum de rigidité. Expirez ensuite lentement, en relâchant les muscles.

Je conseille d'exécuter un seul de ces exercices chaque jour, à commencer par le premier. Quand s'affirmera la possibilité de l'accomplir avec aisance et perfection, on passera au second et ainsi de suite.

L'effort silencieux et austère requis par cet entraînement devient vite attrayant. Dès les premiers jours, l'assurance et la confiance en soi seront renforcées, l'énergie physique et cérébrale aura un tonus plus ferme. L'influence personnelle se manifestera par des résultats multiples et précis, mis en évidence par l'attitude de chacun de ceux à qui l'on a affaire.

7. Exercices d'influence directe

Dans les trois essais qui vont suivre, une règle fondamentale doit être observée : ne choisir comme sujets que des personnes dont l'aspect suscite en vous un attrait, une curiosité, un intérêt quelconque. L'œil, avons-nous dit plus haut, ne possède pas en propre une puissance quelconque : il doit être seulement considéré comme *antenne de diffusion* du magnétisme, du potentiel psychique.

1. Dans n'importe quel lieu public (théâtre, cinéma, église) où les gens sont assis en rangées parallèles, choisissez, à quelques mètres devant vous, quelqu'un d'assez attractif pour vous inspirer le désir de connaître de lui ce que vous ne voyez pas : son profil, ses traits, ses yeux, etc. Tout en fixant le sujet à la nuque, laissez votre curiosité s'épanouir, alimentez-la de pensées dont le point focal soit : « *Il faut qu'il ou elle se retourne... je veux voir son visage.* » A un moment donné, vous vous sentirez en état de donner l'ordre silencieux : « *Retournez-vous ! Vous ressentez une impulsion irrésistible à regarder de mon côté...* » Ce sera votre première tentative d'expérimentation de l'influence personnelle directe, active.

2. William-Walker Atkinson (4) conseille l'essai suivant : « *Choisissez, dans une voiture publique, une personne assise sur la banquette opposée à la vôtre, mais dont la place soit sensiblement à droite ou à gauche de celle qui est directement en face de vous. Affectez, si vous voulez, de regarder droit devant vous de façon à lui laisser croire que vous ne la voyez point, mais regardez-la obliquement, dirigez vers elle un courant mental aussi intense que possible et dites-vous, avec toute l'énergie dont vous êtes capable, que vous voulez qu'elle regarde dans votre direction. Si l'expérience s'effectue correctement, le résultat se produit : la personne que vous suggestionnez silencieusement ne tarde pas à tourner ses yeux vers vous. Parfois, son regard ne semblera pas s'adresser à votre personne et vous effleurera à peine, mais souvent ce regard sera vif, concentré, aigu, comme si votre sujet se rendait compte de l'influence que vous exercez sur lui. La personne obéissant ainsi à votre ordre mental paraîtra le plus souvent embarrassée, nerveuse, lorsque vos regards se rencontreront. Elle aura le sentiment d'une force dominatrice, de l'étreinte d'une volonté et son attitude exprimera fort bien ce sentiment.* » Quel que soit le résultat d'une telle tentative, elle aura un effet excellent sur l'assurance de votre regard. Je le répète : le succès reste subordonné à l'ardeur psychique de l'opérateur, soit qu'il ressente véritablement le désir d'influencer la personne visée, soit que la détermination de fortifier en lui la « volonté de puissance » soit forte et soutenue.

----

4. Atkinson : *La Force-pensée.*

3. D'une fenêtre, en cherchant à agir sur un passant ou une passante, le procédé précédent peut être utilisé mais comme on ne dispose alors que de 2 ou 3 minutes, un tel essai ne se recommande qu'après réussite fréquente des deux précédents.

Si vous connaissez de vue la personne en question, si elle arrive à des heures régulières et si, au surplus elle vous inspire de l'intérêt, vos chances de succès seront accrues. D'une part, vous pourrez concentrer votre pensée sur l'image mentale du sujet quelques instants avant de l'apercevoir ; d'autre part, quand la télépsychie puise son dynamisme à la source d'un élément émotionnel, affectif (5) plus ou moins vif, l'irradiation diffusée par le regard influe avec une intensité particulière, à condition que la volonté d'emprise prédomine sur la sensibilité. Il faut être décidé à subordonner le sujet, non pas à être subjugué soi-même par celui-ci (6).

4. Il faut plus d'attention pour tenir le regard et la pensée concentrés sur une **image mentale** que sur un point visible. Choisissez quelqu'un dont vous connaissez bien l'aspect physique et la psychologie pour que la représentation que vous en conservez soit aussi précise et véridique (7) que possible. A des moments où nul ne puisse vous déranger, asseyez-vous dans l'obscurité (ou sous une faible lumière bleue placée derrière vous) et entreprenez de fixer, pendant 15 à 30 minutes, le regard de l'image mentale choisie. Le sujet doit ignorer absolument votre tentative. Réitérée plusieurs fois, cette expérience, tout en contribuant à la sûreté de votre regard, aura sur le sujet une répercussion attractive et subordinatrice. Pratiquée assidûment de 15 à 30 jours consécutifs (à titre préparatoire d'une entrevue délicate ou d'une tentative d'obtenir un assentiment quelconque), ses résultats vous surprendront. Enfin, tel est le moyen le plus efficace d'amorcer l'hypnose chez un non-prédisposé.

---

5. Au sens que les philosophes ont donné à ce mot.

6. Voir, du même auteur : *L'Influence à distance* (Éditions Dangles).

7. Nous avons tous tendance à imaginer la vie intérieure d'autrui à travers une sorte d'écran que colorent nos dispositions à son égard. Or, lorsqu'il s'agit d'influer profondément sur quelqu'un par des procédés télépsychiques, une représentation caractérologique strictement objective importe beaucoup. La physiognomonie et la graphologie peuvent alors rendre des services inappréciables. Voir, à ce sujet, les deux ouvrages suivants : Jean Spinetta : *Le Visage, reflet de l'âme* (Éditions Dangles) et André Lecerf : *Cours pratique de graphologie* (Éditions Dangles).

8. La fascination

Dès 1875, un expérimentateur extraordinaire vint se produire à Paris. Il se nommait d'Hondt sur les registres de l'état civil, et Donato (8) en représentation. Sa technique expérimentale reposait principalement sur la fascination (9). Comme il pratiquait non pas exclusivement dans diverses salles publiques, mais parmi les cercles et salons les plus fermés (Jockey-club, Cercle royal, Cercle impérial, Salon de la princesse Mathilde, salle de rédaction du *Figaro,* mess d'officiers et de médecins militaires), l'hypothèse de simulation s'écarte d'elle-même.

Cavailhon a brièvement (10) décrit la « manière » de Donato : « Sur les yeux d'un homme qui l'aborde pour la première fois, Donato fixe son regard étrange et *tremblant.* » Passons sur « étrange », adjectif à acceptions multiples. Ce que voulait dire Cavailhon par « tremblant » me fut jadis révélé par divers témoins des séances de l'étonnant hypnotiseur. Celui-ci regardait de très près son sujet et imprimait à ses propres globes oculaires un mouvement rapidement alterné de la convergence à la divergence. La cadence de ce double mouvement explique pourquoi Cavailhon utilisa le mot « tremblant ».

A moins de posséder un système optique solidement construit, musclé et résistant, le procédé de Donato serait extrêmement fatigant et même dangereux.

Quelques expériences de fascination, sans mouvements oculaires, seraient un complément efficace à l'éducation du regard. Il suffit de placer le sujet sur un siège sensiblement moins élevé que celui de l'opérateur pour que le niveau de chacune des deux lignes visuelles horizontales soit verticalement distant d'une dizaine de centimètres, d'inviter le sujet à tenir son regard dirigé fixement

---

8. Depuis sa mort, quelques pâles imitateurs usurpèrent son pseudonyme, sans atteindre à sa renommée ni même s'en approcher.

9. Plus tard, en 1880, un médecin de la marine, le docteur Brémaud, utilisa remarquablement l'action fascinatrice du regard, d'une tout autre manière que Donato (*Bulletin de la société de biologie,* 22 mars 1884). Ses procédés ne sont pas à recommander parce que trop violents.

10. *La Fascination magnétique* (Dentu, 1882).

vers celui de l'opérateur et de l'exhorter à reprendre cette fixité s'il l'interrompt (ce qui survient neuf fois sur dix).

Au bout d'un temps généralement bref, le fasciné ne peut plus détacher son regard de celui de l'hypnotiseur. Si celui-ci se lève, le sujet l'imite et le suit, en conservant sa fixité. Dans cet état, bien que le sujet ait parfaitement conscience de ce qui se passe, la suggestion peut avoir un retentissement profond, utilisable à l'avantage même du patient. Tics, bégaiements, mauvaises habitudes et nombre d'autres afflictions cèdent à l'action rééducative des affirmations et injonctions de l'opérateur.

Je ne m'étendrai pas ici sur la thérapeutique suggestive dont j'ai abondamment traité par ailleurs (11). Comme dans votre entourage (amis et connaissances) il ne peut pas ne pas se trouver une ou deux personnes présentant quelque trouble psychologique mineur, vous trouverez certainement, en vue de vous exercer à la fascination, plus de sujets qu'il ne vous en faudra pour parachever l'éducation de votre regard. Chacun d'eux vous en enverra d'autres si vous maintenez votre influence dans les limites de ce qui convient, sans jamais abuser de la dépendance d'un fasciné pour lui faire exécuter un acte, même insignifiant, qui n'ait été convenu.

Ne donnez jamais personne en spectacle. Ce qui fut tolérable et même utile à l'époque des vulgarisateurs, des « magnétiseurs de tréteaux (12) » serait actuellement déplacé. Je recommande, au surplus, de rédiger à l'avance et selon les indications mêmes du sujet, la formule des diverses suggestions qu'il désire recevoir. Ayant donné à chaque mot de cette formule un plein assentiment, il en écoutera l'énoncé avec une parfaite passivité. Elle s'enregistrera fidèlement dans sa subconscience et engendrera ainsi les résultats désirés.

----

11. Voir, du même auteur : *Méthode pratique de magnétisme, hypnotisme, suggestion* (Éditions Dangles).

12. Dans le volume *Comptes rendus du deuxième congrès international de l'hypnotisme,* on peut lire cette déclaration du secrétaire général : « *Ce sont les hypnotiseurs de foire qui m'ont appris à me servir de l'hypnotisme.* » Ce congrès eut lieu à l'Hôtel de Ville de Paris, en 1900, et le volume de comptes rendus fut publié en 1902 chez Vigot Frères.

CHAPITRE V

Suggestion
et autosuggestion

1. En quoi consiste la suggestion

Après l'éducation du regard, abordons celle de la parole, c'est-à-dire l'art de mettre à profit les principes de la suggestion en vue d'influer utilement (conformément à vos intentions) sur toute personne à qui vous avez affaire. Je dis influer *utilement* car nul ne prononce, en présence d'autrui, une phrase qui n'ait un retentissement plus ou moins marqué, plus ou moins persistant, plus ou moins favorable.

Vous vous adressez à une personne distraite au point de ne pas même vous entendre (1). Elle ne manifeste bien entendu aucune réaction immédiate mais, à son insu, vos paroles se sont gravées plus ou moins distinctement (comme sur un disque) en une région profonde de son mental, région toujours passivement réceptive, toujours en fonction (jour et nuit) dont nous parlerons plus loin : le subconscient.

Tel qui semble accueillir vos propos avec la plus intégrale indifférence ne les enregistre pas moins. Une ou plusieurs des idées que vous exprimez peuvent se fixer en lui, germer, s'épanouir et s'imposer jusqu'à l'obsession. En réitérant vos « suggestions » sous diver-

---

1. Elle se trouve dans un de ces « états seconds » analogues au sommeil naturel et à l'hypnose.

ses formes, aussi variées que possible, vous « enfoncerez le clou ». Que l'on vous oppose catégoriquement contradiction, négation ou refus, vous effleurez cependant — si légèrement que ce soit — les dispositions mentales de votre interlocuteur. Vous les avez modifiées, imperceptiblement peut-être, mais rappelez-vous que **c'est la répétition qui fait la force de la suggestion** et que l'art de présenter sous des aspects différents une même conception, une même sollicitation, permet la répétition sans harcèlement.

A l'inverse de l'exemple précédent (celui de l'objection formelle et définitive à laquelle vous vous heurtez), il arrive que l'on abonde immédiatement dans votre sens, que vous obtenez d'emblée, assentiment ou acceptation. Dans ce cas, ménagez-vous — surtout si vous visez un résultat à échéance — la possibilité de redire ce qui a été si chaleureusement accueilli car, pour improbable qu'elle paraisse, l'hypothèse de variations dues à quelque réflexion ou interférence doit être retenue.

Ne vous laissez jamais déconcerter par une fin de non-recevoir plus ou moins rude, ni désarmer par la certitude d'avoir « gagné la partie ». Ce ne sont pas les plus dociles (en apparence) qui sont les plus suggestibles (car, velléitaires, ils reviennent sur leurs convictions d'une heure ou se dérobent à leurs engagements), mais bien ceux qui semblent rebelles, ceux qui repoussent brutalement ce que l'on cherche à leur faire admettre, serait-ce même dans leur intérêt. Leur vanité, leur massive et illusoire certitude d'invulnérabilité impliquent un manque d'autodéfense méthodique et raisonnée.

Pour manier avec précision et en toute connaissance de cause l'influence suggestive de la parole, je crois indispensable de comprendre le pourquoi et le comment des principes et des procédés à utiliser pratiquement. J'engage donc le lecteur à se pénétrer très attentivement des trois premiers paragraphes de ce chapitre.

La suggestibilité, autrement dit l'aptitude à subir l'imprégnation des idées suggérées, fut primitivement mise en évidence par l'hypnose qui permet de dégager l'ensemble des phénomènes par lesquels toute suggestion engendre une réaction conforme à son objet. Il s'agit, en définitive, d'une propriété normale de l'esprit humain. Tous, nous sommes suggestibles. Nul ne prend conscience, à moins de tests expérimentaux ou de circonstances exceptionnelles, du degré de sa suggestibilité. Il a suffi — à l'époque de Charcot — d'un simulacre d'incendie dans le couloir d'une salle d'hôpital et d'un « sauve qui peut » clamé par quelques internes et infirmiers pour rendre le mouvement à des paralytiques (2), mus soudain par une peur effroyable, par l'idée de s'enfuir pour échapper aux flammes. On a vu des exemples analogues lors des premiers bombardements de Paris, en 1941 des gens perclus, réputés impotents, descendirent si rapidement dans l'abri qu'ils furent surpris de s'y trouver.

Diverses épreuves expérimentales ont été successivement définies pour discerner dans quelle mesure une personne est suggestible. J'ai exposé les plus simples, celles que n'importe qui peut utiliser sans connaissances spéciales, dans mon livre *Théorie et pratique de l'hypnotisme* (3). On trouvera, d'autre part, dans ma *Méthode pratique d'autosuggestion* (4) la description de tests basés sur le sens olfactif et sur les perceptions tactiles. Je n'y reviendrai pas ici. Ce que je vais ajouter, c'est qu'un sujet, si rebelle semble-t-il à la suggestion expérimentale, n'échappe pas à la loi commune : il a, comme n'importe qui, un certain degré de suggestibilité. D'ailleurs, tel qui reste insensible aux manœuvres d'un opérateur peut subir l'emprise d'un second, moins habile que le premier. D'autre part, le moment joue un rôle. Se montre parfois hypnotisable un jour celui que personne n'aurait affecté la veille.

Au cours de la vie quotidienne, le rôle de la suggestion est autrement plus insidieux et continu que dans l'expérimentation. Toute parole, tout écrit, toute image, toute manœuvre, composés, prémédités en vue d'introduire dans le cours de la pensée d'un être isolé (ou de masses réunies) une idée, une représentation, une formule de nature à faire naître un désir, une disposition morale ou une conviction, à obtenir adhésion ou assentiment doivent être considérés comme des suggestions. La publicité sous toutes les formes, les « slogans », la propagande, les campagnes politiques, les

---

2. On demandera pourquoi tous les paralytiques de la salle ne recouvrèrent pas le mouvement. C'est que l'état des uns procédait d'une psychonévrose et celui des autres de lésions tissulaires irréparables.
3. Éditions Dangles (même collection).
4. Éditions Dangles.

mises en scènes, rites, cérémonies, s'inspirent de l'intention d'assoupir, endormir ou sidérer le sens critique pour influer dans un sens déterminé sur la pensée subjective (l'imagination, l'impressionnabilité, la vie affective).

En vue de résultats salutaires, éducatifs, énergétiques ou thérapeutiques, la suggestion a fait ses preuves. Dans les affaires, le courtier, le représentant ou le vendeur qui, connaissant le mécanisme et les lois de la suggestion, s'efforce d'appliquer celles-ci, surclasse ceux de ses concurrents qui les ignorent. Dans la vie privée, le fait de savoir manier l'influence suggestive confère des possibilités persuasives exceptionnelles et une autorité d'autant plus irrésistible qu'elle se garde d'éveiller la défensive.

2. Peut-on s'immuniser ?

De ce qui précède, le lecteur pourrait conclure à l'impossibilité de s'immuniser. Or, si l'immunité absolue est incompatible avec notre structure mentale, elle devient aisée — pour l'essentiel du moins — dès que l'on prend conscience du rôle de la suggestion, dès que la vigilance éclairée par la connaissance du mécanisme mental s'éveille, s'exerce, puis devient constante.

— Quelle intention inspire les paroles que j'entends ?

— Que cherche-t-on à me faire admettre, désirer, décider ou accomplir ?

— Quels intérêts, avidités ou aversions animent mon interlocuteur ?

Si ces trois interrogations et d'autres analogues s'interposent automatiquement entre votre entendement et chacun de ceux qui vous parlent, elles vous prémunissent et conditionnent votre auto-défense.

Ainsi que je l'ai conseillé dans un précédent ouvrage (5), de fréquentes introspections contribuent dans une large mesure à l'immunité : « *Il faut se ménager, au moins une fois par semaine, un instant de liberté et l'employer à se remémorer les pensées, émo-*

---

5. *Le Pouvoir de la volonté* (Éditions Dangles).

tions, impulsions, tentations, désirs, actions, des jours précédents en tâchant de dégager leur origine. Il importe de se juger sans indulgence et, s'il y a lieu, de reconnaître que l'on s'est laissé influencer de l'extérieur ou dominer par certaines tendances que l'on avait décidé de réprimer. Si le jugement s'est trouvé en faute, s'efforcer de discerner sous l'influence de qui ou de quoi. Évaluer les conséquences fâcheuses des écarts ainsi analysés et celles qu'entraînerait leur renouvellement. »

En réalité, seules la négligence et, plus encore la vanité conditionnent la passivité.

« *Vous pouvez,* dit le docteur Sage (6), *prendre la résolution de n'être jamais influencé. A moins que vous n'ayez acquis le discernement et le savoir indispensables pour vous protéger de l'influence, elle serait aussi vaine que la décision de maîtriser les éléments ou de suspendre la course des planètes (...) Celui qui se croit à l'abri, simplement à cause de la supériorité de son intelligence, est plus influençable que tout autre. Dans sa sécurité imaginaire, il néglige de se prémunir et peut ainsi subir l'ascendant d'hommes inférieurs à lui mais exercés dans l'art de la suggestion.* »

3. Qualité mentale

Le schéma représentatif des deux psychismes (chap. IV, § 3) donne une idée suffisamment claire de cette dualité intérieure mise en évidence dans les Temps modernes par l'expérimentation hypnotique. Le sentiment d'unité psychique que ressent l'homme équilibré s'explique du fait qu'à l'état normal les deux psychismes coopèrent, du moins pendant la veille. Quand survient le sommeil, un engourdissement progressif suspend l'activité du psychisme supérieur (sens critique, délibération raisonnée, jugement), tandis que le champ de la pensée subit passivement l'irruption des représentations issues de l'activité psychique inférieure (imagination, émotivité, rappels mnémoniques, instincts, perceptions sensorielles).

---

6. Docteur Sage : *Philosophy of Personal Influence* (Rochester, New York, 1902).

De ces sources procède le rêve (7) qui impressionne comme le feraient des réalités. Le rêve se coordonne parfois jusqu'à nous conditionner une existence imaginaire absolument différente de notre réel, et à nous transformer en un personnage sans plus de rapport avec notre authentique individualité qu'une image reflétée par un miroir déformant.

A l'état de veille, le psychisme inférieur (le subconscient) manifeste une tendance à enregistrer docilement les suggestions de toute nature, lesquelles engendrent alors à l'insu du psychisme supérieur (la conscience psychologique) les impulsions, sentiments et actes qu'elles postulent. Ainsi que nous l'avons noté plus haut, à l'état normal les deux psychismes coopèrent mais, d'autre part, entrent fréquemment en conflit. Alors que vos délibérations raisonnées — autrement dit votre psychisme supérieur — ont mis en lumière l'avantage évident d'agir d'une certaine manière, d'adopter telle ligne de conduite, de réagir contre tels errements habituels, votre psychisme inférieur entrave presque toujours la mise à exécution de vos résolutions. Une lutte s'engage entre l'initiative et l'inertie, entre la volonté lucide et les automatismes, entre la raison et l'imagination, l'impressionnabilité ou la passion. Quelle que soit l'issue de la lutte, une sourde résistance persiste un certain temps entre les deux psychismes : soit que le subconscient, dominé, revienne à la charge, soit que la conscience psychologique garde, d'une défaite momentanée, regrets obsédants, remords ou dépression.

Vigilance dans le premier cas, refus dans le second d'accepter un échec définitif, telles sont les attitudes mentales conformes aux principes de la culture psychique.

4. Fonction et individualité du subconscient

Vous êtes seul, vous vous promenez ou vous vous reposez. Au fil de vos pensées surgit une idée, une inspiration, une conception nouvelle, un désir, une impulsion. C'est l'émergence dans le conscient d'enregistrements subconscients qui datent peut-être de

---

7. Voir l'ouvrage de Pierre Fluchaire : *La Révolution du rêve* (Éditions Dangles).

la veille, peut-être de l'an dernier, et dont le cheminement vient d'aboutir. Vos dispositions actuelles se sont engendrées d'un certain nombre de ces suggestions, plus ou moins multiformes, plus ou moins anciennes.

Le psychisme a sa région obscure, son « arrière-boutique » par où s'immiscent de multiples influences imperçues, lesquelles deviennent un beau jour déterminantes et tyranniques. Ainsi votre aspect, votre comportement, votre regard, vos paroles (même écoutées distraitement ou avec hostilité) impressionnent vos semblables à leur insu. Vous pouvez avoir la certitude la plus absolue d'influer ainsi sur eux, d'autant plus que vous apporterez d'attention et de discernement à vous comporter et à parler habilement selon les règles de la suggestion dont le paragraphe suivant vous livrera le secret.

Le subconscient a une individualité précise et des propriétés remarquables (8). Si la conscience psychologique est le siège de l'intelligence, le subconscient est celui du caractère. En lui résident les éléments fonciers du naturel de chacun : avidités, aversions, aspirations, goûts, penchants, aptitudes. En lui s'inscrivent les éléments acquis, notamment cet ensemble coordonné de souvenirs qui constitue sa mémoire statique, l'automatisme formé par tout ce qui vous a été, dès le premier âge, inculqué, suggéré par l'exemple ou l'affirmation. Votre subconscient remplit le rôle de secrétaire et d'archiviste.

Le pianiste, après une longue période au cours de laquelle il peine pour acquérir l'habitude de se conformer à la technique de l'exécution musicale, obtient de ses fonctions neuromusculaires un automatisme docile. Il lui suffit alors de suivre, sur sa partition, les notations musicales : celles-ci, par un subtil mécanisme, se transposent en mouvements précis sur le clavier. Le subconscient accomplit la tâche à laquelle il a été dressé.

Vous effectuez, pour la première fois, un trajet qu'il vous faudra par la suite recommencer chaque jour. L'activité de l'attention, indispensable au cours des premiers parcours, n'est bientôt plus nécessaire : on chemine inconsciemment, en pensant à toute autre chose qu'à se rendre compte de la direction que l'on suit.

---

8. Voir l'ouvrage de Marcel Rouet : *La Maîtrise de votre subconscient* (Éditions Dangles).

L'habitude, fonction de l'automatisme psychologique, vous sert ou vous asservit selon son caractère salutaire ou funeste. Dans les deux cas son mécanisme se poursuit en marge de la pensée délibérée, de la conscience. Quand on cherche à se libérer d'une habitude, la puissance de l'entité subconsciente apparaît clairement. Par une tactique bien conçue et au moyen d'efforts renouvelés, il n'est cependant pas d'habitude dont on ne puisse dissocier les structures.

5. Principes de la suggestion verbale

— Un calme inébranlable et une assurance absolue sont indispensables au maniement lucide de l'influence suggestive : tout doit être dit de sang-froid, pesé et évalué quant à l'impression que chaque parole peut produire. Quelles que soient les réactions de votre interlocuteur, demeurez impassible et courtois.

— Considérez toute personne comme sujet d'entraînement de votre puissance suggestive, de la plus inaccessible (en apparence) à la plus sensible.

— Songez à créer chez tous un état de réceptivité. Ne traitez personne avec désinvolture ni surtout avec dédain. Ayez des égards pour les plus infimes, comme vis-à-vis de vos égaux et de vos supérieurs. Sachez écouter et manifester de l'intérêt. Maintenez une attitude attentive autant qu'impassible.

— N'entreprenez pas systématiquement de modifier l'avis des gens. Abstenez-vous de toute contradiction, critique ou ironie. Si indigents que soient les propos que l'on vous tient, ce serait une faute que de laisser deviner le peu de considération que vous leur attribuez. Toute personne à qui vous donnez l'impression que vous l'estimez, que vous admettez sa valeur ou son importance, se trouve désarmée et portée à vous être agréable ou utile.

— Concevez toute disposition mentale comme susceptible de subir une influence graduellement modificatrice.

— Évitez de « démasquer vos batteries ». En d'autres termes, faites en sorte que la personne à influencer n'ait pas la moindre idée de l'objectif que vous poursuivez. Préméditez ce que vous pourriez bien lui dire (ou dire en sa présence à quelqu'un d'autre) qui soit de nature à éveiller dans son esprit des idées favorables à ce que vous voulez.

— Quand il paraîtra indispensable d'avoir recours à l'affirmation, parlez de manière à produire une profonde impression, d'abord par une articulation impeccable, ensuite par un choix judicieux de considérations et d'arguments. Vous userez alors du regard comme cela a été indiqué au chapitre IV et vous soutiendrez tardivement votre point de vue, sans sortir du calme le plus parfait et de la mesure la plus circonspecte. Ménager la susceptibilité de vos interlocuteurs, c'est éviter de la concentrer parmi les adversaires de votre volonté. Insistance, fermeté, énergie d'une part, et politesse d'autre part, voilà un faisceau de moyens auquel peu de personnes résistent. Irriter quelqu'un c'est lui prêter des forces pour vous tenir tête ; le désarmer par une patience paisible et courtoise, voilà la supériorité.

— Si vous vous trouvez en présence d'un individu sans contrôle, enclin à user de paroles blessantes ou injurieuses, restez froid. Cessez l'entretien ou poursuivez-le avec une dignité distante et imperturbable, mais ne vous laissez pas contraindre à imiter un mauvais exemple. Ne permettez jamais que le comportement d'un autre subordonne le vôtre.

— Réitérez vos tentatives avec optimisme car, vous le savez, c'est la répétition qui fait la force de la suggestion. Chaque nouvel effort ajoute quelque résultat au précédent. Toute suggestion, une fois enregistrée, travaille l'esprit sans que l'on s'en aperçoive. Vous constaterez plus d'une fois que ce que vous avez semé a germé et s'est épanoui sous l'apparence d'une idée spontanée : la personne qui tiendra de vous cette idée vous en parlera comme si l'inspiration venait d'elle-même, résultait de ses propres réflexions.

— Ne perdez jamais de vue qu'une voix « posée » et une diction cultivée charment l'esprit comme l'oreille.

— Quand vous aurez l'impression de vous heurter à un « bloc granitique », à une « impossibilité », que cela ne vous décourage pas le moins du monde. Neuf fois sur dix il s'agira d'un type humain assez distinct de ceux que vous avez précédemment rencontrés. Prenez votre temps. Ayez un certain nombre d'entrevues pendant lesquelles vous laisserez au second plan le souci de ce que vous voudriez obtenir, et portez toute votre attention à observer, étudier et analyser le sujet. Peu à peu celui-ci vous deviendra de plus en plus transparent. Inconsciemment, il vous révélera un certain nombre de ses caractéristiques, de ses points faibles et vulnérables. Cherchez le point de moindre résistance. Ayez la certitude la plus absolue que votre sujet — comme tout le monde — enregistre les suggestions. Alimentez sa pensée de considérations attrayantes de nature à le placer dans les dispositions que vous désirez. « *Nous sommes dominés, dirigés, par les pensées que nous cultivons* » a dit A. Victor Segno. Au mur infranchissable, vous trouverez un accès.

6. La suggestion écrite

Nous envisagerons ici l'application des principes de la suggestion à votre courrier personnel, à vos tentatives écrites de persuasion. Au préalable, rappelons que l'objectif fondamental de l'influence personnelle est de faire bonne impression. Or, la première impression ressentie par quiconque décachète une de vos lettres est d'emblée favorable ou non selon que votre écriture claire, précise, bien aérée, bien ordonnée constitue un agrément visuel ou que son tracé imprécis, négligé, énigmatique, pénible à déchiffrer indispose plus ou moins le destinataire. Ce dont la lecture exige une fatigue produit un effet irritant que vous avez sans doute expérimenté quelquefois sur vous-même.

Dans la suggestion écrite, le tact joue un rôle plus important encore que dans la suggestion verbale, car on relit presque toujours et l'on réfléchit ensuite. Si quelque maladresse plus ou moins choquante se glisse dans une lettre, on ne saurait en compenser l'effet par quelque autre propos, comme au cours d'une conversation. Quel que soit l'objectif visé, rien ne doit être revendiqué. Il faut procéder par insinuation progressive, eu égard à ce que l'on connaît de la psychologie du sujet, de ce qui le préoccupe, ainsi que des dispositions complaisantes, neutres, fermées ou hostiles dont on le suppose animé.

En vue de créer un climat favorable, entretenez avant tout votre correspondant de ce qui l'intéresse, de ce qui semble de nature à éveiller en lui des pensées agréables, à lui ouvrir des perspectives tentatrices. Ce que vous voudriez l'amener à admettre, à accomplir ou à consentir, efforcez-vous d'en amorcer l'assentiment, l'impulsion ou le désir par des considérations telles qu'il ne puisse discerner vos secrètes intentions. S'il ne réagit pas immédiatement dans le sens que vous aimeriez, n'insistez pas. Récrivez-lui en parlant d'autre chose : vous reviendrez à la charge dans une lettre suivante, à l'aide de nouvelles considérations.

Sous aucun prétexte, ne vous permettez jamais la moindre critique ou un ton ironique : cela susciterait l'antagonisme. D'autre part, soyez sobre de compliments. Flatteries, flagorneries et témoignages d'admiration ne portent qu'exprimés sur un mode indirect (9). Quoi que vous ayez en vue, ce serait une faute capitale que de laisser voir à quel point vous y tenez. Présentez toutes choses sous l'angle de l'attrait qu'elles peuvent présenter *pour la personne qui vous lit.* Vous vous heurterez parfois à l'indifférence, à l'inertie, à quelque élément de préoccupations dont vous ne saviez pas votre destinataire obsédé. Ne vous rebutez pas. Ne vous découragez jamais. Persistez méthodiquement, n'admettez pas l'échec définitif. **Tout est en devenir.** Vos suggestions réitérées sous diverses formes finiront par prédominer dans la mentalité du sujet.

7. La suggestion affirmative

Le type de la suggestion affirmative est celle qu'utilisent les hypnotiseurs professionnels en vue de déterminer soit des phénomènes à l'état de veille, soit l'hypnose, soit, s'il s'agit d'interventions psychothérapiques, la neutralisation des idées-sources de la maladie à éliminer.

Dans la vie quotidienne, la suggestion affirmative a son emploi, principalement dans toute profession où il faut obtenir, sinon sur-le-champ, du moins rapidement, une décision quelconque. Pour le représentant ou le vendeur, la suggestion affirmative représente

---

9. Exception faite pour des simples, vaniteux et suggestibles par définition.

un moyen d'action unique. Posons en principe que si l'opinion a été préparée par une habile campagne publicitaire, ceux auxquels incombe la mission de solliciter les ordres trouvent un terrain prédisposé. Pour ces professions, une présentation impeccable, un visage avenant, un regard sympathique et assuré, une parole agréable, claire, positive sont indispensables.

En second lieu, chacun doit posséder une connaissance approfondie de l'article qu'il veut vendre, que ce soit une police d'assurance sur la vie ou un article de pêche. Si tous les avantages de ce qu'il offre lui sont présents à l'esprit dans le plus minuscule détail, il parlera d'abondance, avec efficacité. Apprenez chaque détail relatif à ce que vous voulez vendre. Ayez une connaissance approfondie de l'article avant de le proposer.

Les possibles objections des clients visités, si elles ont été prévues, classées et évaluées, feront l'objet de réponses étudiées à l'avance, grâce auxquelles la décision sera souvent enlevée. Mais rares sont les esprits assez lucides et objectifs pour se rendre immédiatement à l'évidence. Ils se sentent contrariés de n'avoir pas vu juste et, aux dépens de leur intérêt, atermoient souvent avant de se ranger à l'avis du spécialiste. C'est pourquoi il faut savoir effectuer, quand il y a lieu, une sorte de « repli stratégique », parler d'autre chose, remettre à une visite suivante toute tentative d'obtention du résultat. Les suggestions données aujourd'hui chemineront et gagneront progressivement du terrain. A échéance, vous trouverez le sujet bien mieux disposé qu'à la première visite, surtout si celle-ci s'achève sur un mode cordial. L'homme dont vous cherchez à obtenir la clientèle, visez d'abord à ce que votre présence et vos propos aient pour lui de l'agrément. Efforcez-vous de voir ce à quoi il s'intéresse. Parlez-lui-en et, surtout, *faites-le parler en manifestant vous-même le plus vif intérêt pour ce qu'il vous dit.*

En raison du principe : « *Fixer le regard à un point et l'esprit sur une pensée* », tout vendeur a intérêt à placer sous les yeux du client une gravure, des échantillons, des prospectus aussi attrayants que possible. Si la décision ne se produit pas sur l'heure, il convient de laisser à l'éventuel acheteur tous les imprimés qu'il examinait pendant l'entrevue. Ils lui rappelleront les commentaires et affirmations du vendeur et agiront sur lui à peu près comme une suggestion posthypnotique.

8. Autosuggestion

On peut attendre un miracle de la répétition automatique d'une formule du genre de celles dont Émile Coué se fit le propagateur. Prononcer très rapidement, pendant 15 minutes : « *Ça passe, ça passe, ça passe* » ou bien : « *Tous les jours, à tous points de vue, je vais de mieux en mieux* », rien de plus facile. Le miracle s'accomplit... avec la rareté de ceux sur lesquels s'est édifiée la publicité de certains pèlerinages. De l'Antiquité à nos jours, de la Chaldée à La Mecque et à Lourdes, en passant par l'Égypte, Rome et la Grèce, la « médecine dans les Temples » a suscité des millions de visiteurs et obtenu un pourcentage appréciable de guérisons dont l' « attention expectante » bien connue des hypnotiseurs (10) fut et demeure le principal agent effectif.

L'autosuggestion rationnelle s'inspire d'un principe tout différent : ce sont d'une part la représentation mentale des effets à obtenir et, d'autre part, l'ardeur avec laquelle on les désire qui, par l'intermédiaire du subconscient, déterminent les modifications curatives ou rééducatrices recherchées.

Or, la pratique de l'autosuggestion ainsi conçue nécessite d'abord l'acquisition d'une capacité de concentration d'esprit au-dessus de la moyenne, concentration soutenue et réitérée de l'attention sur des images mentales précises et ardeur volitive aussi intense que possible (11). La capacité de concentration s'acquiert par la pratique assidue. Au début, chacun se trouve déconcerté par la fugacité de l'attention. On cherche à la maintenir sur une image mais, au bout de quelques instants, on s'aperçoit qu'on pense à tout autre chose. Il convient alors, sans se décourager, de revenir à l'image primitive.

Comme autosuggestion de base, je conseille à chacun de se forger l'exacte représentation du type d'homme qu'il aimerait incarner et du comportement de cet homme au cours d'une période de 24 heures. Assis ou étendu dans une demi-obscurité, il faut se repré-

---

10. Le docteur Durand de Gros, auteur du *Cours de braidisme* (Baillère, 1860), fut le premier à mettre en lumière le rôle de l'*attention expectante*.

11. Voir, du même auteur : *Méthode pratique d'autosuggestion* (Éditions Dangles).

senter tel qu'on veut devenir, s'imaginer pendant, parlant et agissant avec la rectitude que l'on ambitionne. L'imagination entre alors au service de la volonté ou, plus exactement de la pensée délibérée, et engendre les nouvelles dispositions.

Dans les ordres religieux, la pratique toujours obligatoire des « exercices spirituels » n'envisage pas l'intervention gratuite d'entités invisibles, mais bien le retentissement d'images mentales soigneusement préméditées, définies avec précision et contemplées avec une ardente attention, sur les automatismes instinctifs, affectifs et imaginatifs de chacun.

Pour se délivrer de telle habitude, de tel défaut ou acquérir une qualité définie au moyen de l'autosuggestion, voici les règles à observer et les procédés à utiliser :

— Ne jamais sous-estimer la difficulté mais décider d'effectuer tous les efforts nécessaires pour la surmonter.

— Se rendre compte de toutes les conséquences funestes de l'habitude ou du défaut en question et les noter par écrit. Cela ne saurait s'effectuer hâtivement. Plusieurs séances de méditation, de réflexion, sont indispensables dans tous les cas. On crée ainsi des éléments d'une aversion violente.

— Se représenter les avantages inséparables de l'abolition de l'habitude ou du défaut en question, cela en vue de créer l'avidité de la libération envisagée.

— Après ce travail préparatoire, commencer l'autosuggestion proprement dite. Le moment le plus favorable se situe dans l'heure qui précède le sommeil. Les dernières images entretenues dans l'esprit avant l'endormissement agissent profondément au cours de la nuit. Elles n'acquièrent la plénitude de leur efficacité qu'à partir du jour où l'on est devenu capable de penser à la même chose pendant une demi-heure sans dérivation. Au cours de notre travail professionnel, nous trouvons une splendide occasion de maîtriser l'attention : la présence d'un objectif matériel facilite l'effort. Bientôt on peut viser au maintien de l'attention sur des images mentales. L'examen d'une question sous tous ses aspects exerce aussi la capacité de concentration.

— Chaque séance se poursuivra par l'évocation imagée d'un nouveau comportement et se terminera par l'affirmation résolue de résister à la tentation, de la surmonter avec opiniâtreté.

— Viser au petit progrès quotidien, ajouté à celui de la veille et facilitant celui du lendemain, cela avec la décision de ne jamais « revenir en arrière ».

9. Écueils à éviter

Une bibliothèque comportant 100 ou 200 volumes traitant de culture psychique reste à peu près inopérante si son possesseur ne passe pas à la **mise en pratique** des indications conseillées. En particulier, l'autosuggestion purement littéraire n'engendre aucun effet : elle crée l'illusion, la présomption et entretient l'inertie. Pour s'autosuggestionner avec efficacité, un effort de concentration est indispensable, nous l'avons déjà noté. Les formules automatiquement répétées ne modifient jamais appréciablement la condition mentale de ceux qui les utilisent. Elles stabilisent au contraire en lui la conviction illusoire que, malgré son apathie et sans qu'il fasse quoi que ce soit d'autre que de s'affirmer chaque jour l'imminence de tel ou tel changement, celui-ci va se produire. Le temps passe et rien ne vient.

Le fait de passer chaque jour un instant à se redire : « *Je suis énergique* », « *J'ai de la volonté* », « *Je me sens fort* », ou quelque autre affirmation mérite cependant un encouragement, car il représente une initiative — de peu d'importance, il est vrai — qui constitue un premier pas, un acheminement vers le mieux.

Cher lecteur, ne vous attardez pas à semblables pratiques. Allez de l'avant. Construisez-vous l'image, la représentation mentale du type d'homme que vous *voulez* incarner et obstinez-vous à maintenir cette image dans votre esprit. Vivez avec enthousiasme la journée de votre modèle idéal. Entretenez l'aversion de tout ce qui ne lui ressemble pas. Cultivez l'avidité de toutes ses qualifications. Là, soyez sûr des résultats. Vos pensées vous suivront, inspireront et détermineront votre comportement au point de le régenter. Si faible que vous vous sentiez, elles vous entraîneront à des actes énergiques, soutiendront votre courage. Ne vous dissimulez pas le moins du monde vos faiblesses : c'est la première des conditions indispensables pour les surmonter. N'en rougissez pas. Insurgez-vous contre elles et décidez de les anéantir.

Personne au monde ne peut tout ce qu'il voudrait, mais celui qui s'efforce de vouloir tout ce qu'il peut se classe d'emblée au rang des forts.

10. Je peux et je veux

En présence de toute difficulté, au moment où il vous faut soit céder à quelque impulsion, soit suivre l'inspiration de votre raison, dites-vous mentalement : « *Je peux et je veux. Je peux agir selon ma raison et je veux agir ainsi.* » Ayez recours à cette formule en toute occasion au cours de la journée, et mettez-la à exécution sans atermoyer.

Si quelque tentation vous obsède, prenez le temps de la réflexion. **Ne cédez jamais sur-le-champ** : tout peut attendre. Au surplus, rendez-vous maître du dynamisme inséparable de toute impulsion ou désir. Aspirez lentement, largement, l'esprit fixé sur cette pensée : « *Je retiens en moi-même, la force qui me pousse à assouvir cette tentation.* » En second lieu, retenez quelques secondes votre souffle avec la détermination bien arrêtée d'incorporer à votre énergie psychique l'unité de force dont vous venez de surmonter la manifestation. Enfin, expirez paisiblement en pensant : « *Je me suis approprié et j'ai subordonné à ma volonté réfléchie la force aveugle qui tendait à m'obliger à céder à la tentation : je l'utiliserai consciemment à des fins utiles.* »

Le principe de ne jamais céder sur-le-champ facilite à un haut degré la suprématie de la raison sur l'impulsion. Remettez l'assouvissement à 24 heures ou à 8 jours, sans craindre le « refoulement » : ce phénomène — et les troubles qu'il suscite — présuppose l'intention d'endiguer définitivement, ce qui est tout différent du fait de s'interdire, durant une très longue période, la satisfaction de certaines activités fonctionnelles ou de leurs modalités dérivées.

Pour combattre l'émotion, l'hésitation, la crainte ou l'anxiété, ayez recours à la formule : « *Je peux et je veux* » (dominer ce trouble). Appelez à vous des pensées de calme, d'impassibilité, de hardiesse. Détournez ainsi les idées de crainte, même et surtout s'il y a danger réel. « *Il n'y a rien de tel que d'avoir peur de la peur pour que celle-ci vous empoigne* », me disait jadis un de mes instructeurs en compagnie duquel je traversais sans enthousiasme un « no man's land » peu engageant. Cette phrase vaut de l'or : elle apaise et délivre.

Quand vous « tombez de fatigue » anéanti par une immense lassitude alors que vous aimeriez achever une tâche, prenez un instant de repos et, tout en respirant profondément, les muscles relâchés, répétez-vous ardemment : « *Je peux et je veux* », puis remettez-vous au travail. Après 10 à 15 minutes, à votre grande surprise vous vous sentirez allégé et en mesure de poursuivre allègrement votre besogne. En toute occasion, opposez à la difficulté la formule « *Je peux et je veux* » ; vos énergies en seront toujours accrues.

L'entraînement à l'effort réaliste doit marcher de pair avec l'autosuggestion. On trouvera plus efficace de se suggérer : « Je *deviens* de plus en plus énergique » tout en accomplissant un acte nécessitant au moins une tentative de réaction contre l'inertie, que de s'affirmer d'emblée : « Je *suis* énergique » alors qu'intérieurement prédomine le sentiment qu'il n'en est rien.

CHAPITRE VI

L'apparence
et le comportement

1. L'image du corps

Pas plus que le lieu et l'époque de sa venue au monde, que son hérédité ou que la situation et les qualifications de ses ascendants, nul n'a choisi sa structure corporelle et plastique, mais chacun peut l'améliorer, l'harmoniser. En ce qui concerne le visage, la conquête du calme assure aux muscles faciaux relaxation et tonicité. Le maintien de l'impassibilité réduit l'activité des « plis de flexion », ces plis qui deviennent prématurément des rides chez les nerveux. Une bonne hygiène alimentaire favorise la fraîcheur du teint. Enfin, l'éducation du regard confère à celui-ci charme et influence. Quels que soient les contours, la forme ou les proportions de la face et du profil, l'aspect d'un visage empreint de sérénité et d'un regard à la fois paisible et déterminé impressionnent favorablement.

Certes, il est des dystrophies — dont l'importance reste d'ailleurs, du point de vue où nous nous plaçons, bien moindre qu'on ne l'imagine — auxquelles la chirurgie esthétique peut, seule, apporter une modification matérielle.

Exagérément grande ou de très petite taille, toute personne peut harmoniser sa structure par l'amplification de sa cage thoracique et le développement de ses masses musculaires. C'est une question de culture physique. Si proche que l'on soit du gigantisme ou du nanisme, il suffit de gagner en épaisseur (1) pour améliorer considérablement son aspect.

Quand bien même vous seriez affligé d'une difformité incurable, soyez certain que son importance demeure secondaire au point de vue de votre influence personnelle, si vous en cultivez tous les autres éléments. Talleyrand (2), malgré son pied bot et son visage falot, sut s'imposer par la subtilité et la continuité de ses plans.

Lauzun (franchement laid) et Neipperg (borgne) furent des séducteurs dans un monde où les rivaux de brillante allure ne manquaient pas. Lord Byron et Leopardi, infirmes l'un et l'autre, jouirent d'un prestige que leur talent à lui seul ne justifiait pas. Aucune infirmité n'exclut la présence ou l'acquisition d'une puissante influence personnelle. Un esprit lucide, une parole habilement nuancée, l'assurance du regard et de l'attitude suffisent à conférer attrait et autorité. On observera d'ailleurs combien s'atténue vite, par simple accoutumance, l'impression que produisent des disgrâces physiques. L'aspect passe à l'arrière-plan ; les qualifications psychiques, au contraire, influent de jour en jour plus profondément.

2. La présentation

S'il est vrai que la structure du visage et du corps sont « données », résultant d'une sorte d'hérédité préexistant à nous-même, leur présentation (ou mise en valeur) est affaire de clairvoyance et de soin. Sadler (3) conseille : « *Posez-vous ces questions :*

---

1. Musculairement s'entend, non pas adipeusement.
2. Je cite ce personnage comme cas typique d'influence non pas en exemple de moralité. Évêque d'Autun, il se targuait de « *ne comprendre absolument rien à la théologie* ». Dès 1789, il dépouilla d'ailleurs un habit devenu suspect et qui l'eût empêché de « *hurler, en toute sécurité, avec les loups* ». Bien qu'ayant abandonné Louis XVI, il sut se faire agréer par Louis XVIII, lors de la Restauration, comme il était — avec opportunisme — passé de la Iʳᵉ République au service de l'Empire... à l'effondrement duquel son propre intérêt l'incita à coopérer largement. Plus clairvoyant qu'il ne fallait pour évaluer à quel point son ministre manifestait la plus parfaite absence de scrupules, Napoléon refusait de le congédier, car, disait-il, « *Talleyrand est le seul homme à qui je puisse parler* ».
3. C.R. Sadler : *Succès et bonheur* (Paris, 1906 ; épuisé).

— Suis-je beau, insignifiant ou laid ?
— Suis-je robuste, quelconque ou chétif ?
— Est-ce que je connais une personne d'apparence similaire
à la mienne ?
— Quel genre de vêtements (tissus, couleurs, coupe) va le
mieux à cette personne ? »

Sadler engage son lecteur à se voir tel qu'il est, objectivement, sans complaisance ni pessimisme, puis à effectuer un choix attentif dans tout ce qui coopère à sa présentation. A prix égal, il y a des coloris, des tissages et des formes mieux adaptées que d'autres à la silhouette individuelle. Les singularités desservent aussi gravement que les négligences. Par singularité, j'entends ce qui provoque la remarque. Ainsi sera-t-il toujours plus habile d'adopter une tenue en harmonie avec le milieu où l'on évolue — même et surtout si tout y est banal — que de manifester trop d'originalité ou de recherche vestimentaires. Par négligence j'entends tout laisser-aller relatif à l'entretien en parfait état, non pas uniquement de ce dont on se revêt, mais de la dentition, de la chevelure, des ongles, etc.

Toutes ces recommandations sembleront élémentaires à certains : leur place se justifie ici par le nombre de ceux qui semblent en ignorer l'importance ou qui, par insouciance, n'en tiennent pas compte. Les exercices de nature à favoriser la fermeté du port, la souplesse et la légèreté de la démarche ne sont pas à dédaigner, bien que le port et la démarche n'aient qu'une incidence secondaire dans l'ensemble des impressions que chacun produit. Les mouvements classiques de la culture physique contribuent, par l'affermissement des muscles abdominaux, à créer l'équilibre, l'aplomb et la verticalité du corps puis, par l'entraînement des quadriceps fémoraux, à l'aisance de la démarche.

3. La maîtrise de soi

Rien ne facilite mieux l'harmonie du comportement qu'une préparation aussi méticuleuse que possible de l'emploi du temps de chaque journée. On s'évite ainsi toute hâte précipitée, intérieurement génératrice de dépressions, extérieurement d'allures plus ou moins irritantes. Dès le début de ce livre j'ai d'ailleurs insisté sur l'aspect primordial du calme.

Les quelques instants affectés chaque soir à la conception d'un planning coordonné des occupations du lendemain contribueront non seulement à l'accomplissement plus parfait, avec une moindre fatigue de vos obligations professionnelles et sociales, mais aussi à votre influence personnelle. L'homme au comportement à la fois régulier et pondéré, sans affectation, impressionne et calme ceux qui l'entourent.

Les personnes à « humeur variable », celles qui manifestent fréquemment de l'impatience, de l'irritabilité ou se laissent aller à des accès d'emportement, se conduisent d'une manière diamétralement opposée à celle que doit observer l'adepte de l'influence personnelle. Elles infligent en effet, sans la moindre utilité, de fort pénibles impressions à la sensibilité nerveuse et morale d'autrui. De telles impressions ne peuvent qu'engendrer de l'hostilité et altérer la considération éventuellement justifiée par les qualités ou la valeur du personnage considéré. Quiconque ne se contrôle pas *parfaitement* n'inspire jamais une *parfaite* considération, car les sautes d'humeur, l'impatience, l'irritabilité et la colère visible, pour quelque légitimes qu'elles paraissent, restent des faiblesses de même ordre que le laisser-aller ou la négligence.

Au point de vue de la parole, j'ai exposé les principes fondamentaux dont il y a avantage à s'inspirer. Parmi ceux-ci il en est un sur lequel tous mes devanciers ont insisté : **ne soyez transparent pour personne. Gardez un secteur de votre mentalité absolument secret vis-à-vis de tous.**

« *Considérons,* conseille Schopenhauer (4), *nos affaires personnelles comme des secrets ; au-delà de ce que chacun peut en discerner de ses propres yeux, elles doivent demeurer absolument inconnues. Il vaut mieux manifester sa raison par ce que l'on tait que par ce que l'on dit. Les occasions de se taire et celles de parler se présentent en nombre égal, mais nous préférons souvent la fugitive satisfaction que procurent les secondes au profit durable que nous pourrions tirer des premières. La simple prudence commande d'entretenir un large fossé, toujours ouvert, entre la pensée et la parole.* »

---

4. *Op. cit.*

4. Le sens de la mesure

Avec un peu d'attention chacun peut parvenir à rayer de son vocabulaire les formules ou expressions que presque tout le monde répète sans en évaluer exactement le sens et la portée. Les réparties conventionnelles ne sauraient s'adapter avec tact et souplesse à la mentalité de l'auditeur. On gagne donc à substituer à la phrase « venant d'elle-même » d'autres paroles délibérément choisies, à se constituer un langage, un verbe bien personnel.

Veillez à ce que rien « ne vous échappe », à ce que vos lèvres n'articulent que ce qui a été, dans les précédentes secondes, composé mentalement. Pesez les mots avec tact. Tout peut se dire sans choquer qui que ce soit, pourvu que l'on apporte à la manière d'exprimer sa pensée de la réflexion et du discernement. Il ne s'agit pas d'affecter un langage précieux. Bien au contraire, clarté et simplicité se recommandent, ce qui n'exclut pas l'originalité ; ce sont les nuances qui importent.

En écoutant parler des personnes très expertes dans le maniement des subtilités oratoires, puis en analysant leurs propos, en essayant d'évaluer ce qu'ils présentent d'exemplaire, nous nous trouvons en présence de sources fécondes d'inspiration. Copier, imiter (servilement même) un modèle admirable ne rééduque qu'imparfaitement : mieux vaut tirer de plusieurs exemples quelque nouvelle indication.

Le sens de la mesure implique la retenue de toute exclamation vive, la modération des mouvements d'expression, du rire et même du sourire.

Évitez les heurts résultant de l'antagonisme possible de vos convictions et de celles d'autrui. Écoutez sans réagir (surtout avec vivacité) les opinions les plus dissemblables. Ne perdez jamais de vue que toute conviction procède d'une certaine constitution tempéramentale, d'une certaine structure cérébrale, des suggestions et exemples reçus dans l'enfance (5). En dehors des mathématiques

---

5. « *Ne combattez l'opinion de personne, songez que si l'on voulait dissuader les gens de toutes les absurdités auxquelles ils croient, on n'en aurait pas fini, quand bien même on atteindrait l'âge de Mathusalem !* » (Arthur Schopenhauer, *op. cit.*)

pures ou des sciences expérimentales, il n'est pas de certitude absolue, de thèse qui ne puisse faire l'objet de réfutations et de démons-
trations également brillantes. C'est ce que pensait sans doute Félix
Le Dantec quand il écrivit : « *Les métaphysiciens sont des artis-*
tes. »

Que vous émettiez des réserves, que vous ne donniez pas
d'assentiment contraire à vos conceptions, cela ne saurait impressionner défavorablement, à condition d'apporter à vos paroles une
discrétion suffisante.

Tous mes devanciers l'ont dit et redit : n'exposez jamais vos
griefs, vos revendications. Abstenez-vous de toute observation critique, car la critique blesse toujours mais réforme rarement.
N'encombrez jamais l'esprit des autres par l'énumération de vos
soucis, tracas ou revers éventuels. Les leurs suffisent à les préoccuper !

Si deux personnes exposent en votre présence un différend qui
les sépare, gardez-vous de trancher catégoriquement le litige car
vous vous feriez certainement une ennemie de celle à laquelle vous
donneriez tort. Sans donner l'impression que vous vous désinté-
ressez de ce qui oppose les deux antagonistes, sans la moindre parole
réprobatrice ni pour l'un ni pour l'autre, il vous sera presque toujours possible d'obtenir « le temps d'y réfléchir ».

5. L'attitude

L'empressement (déconseillé) et l'obligeance (recommanda-
ble) sont deux attitudes distinctes : la première implique quelque
chose de servile, alors que la seconde présuppose une sollicitation
à votre adresse. Quand vous jugez convenable d'y accéder, faites-
le sans paraître y attacher la moindre importance. Par la suite, ne
rappelez jamais le service rendu. Ne gardez d'animosité — même
justifiée — contre personne. Notez les attitudes de chacun, en vue
d'en tirer des inspirations sur la conduite à tenir dans l'avenir.

Dans une proportion de neuf dixièmes, les êtres humains
pensent et agissent presque mécaniquement, en fonction de leur
déterminisme intérieur, qu'ils n'ont d'ailleurs pas choisi. Leur res-

ponsabilité semble très atténuée, quelquefois nulle. Soyons-leur indulgents tout en redoublant de circonspection dans le tri de nos relations et dans l'évaluation de la mesure de confiance dont chacun semble digne ; que le plus vif sujet de mécontentement ou de désappointement vis-à-vis de qui que ce soit vous laisse sinon froid, du moins impassible. Conformément à l'une des règles fondamentales de l'influence personnelle, n'en parlez pas : montrer de la colère ou de la haine, c'est gaspiller sans profit de l'énergie psychique.

« *La vraie, la sincère amitié présuppose*, dit Schopenhauer, *une part énergique, purement objective et tout à fait désintéressée au bonheur ou au malheur de l'autre, et cette participation suppose à son tour une véritable identification de l'ami avec son ami. L'égotisme de la nature humaine est tellement opposé à ce sentiment que l'amitié véritable fait partie de ces choses dont on ignore si elles appartiennent, comme le grand serpent de mer, à la fable ou si elles existent en quelque lieu* (6). »

Ces vues très réalistes n'altèrent pas l'agrément ressenti en la compagnie de ceux que rapprochent une identité de conceptions, une simultanéité d'intérêt ou de plaisir, un complémentarisme quelconque ; elles prémunissent contre les déconvenues que comporte la croyance à une possibilité d'intégrale symbiose.

Une des situations les plus délicates parmi celles où nous place la vie sociale réside en l'alternative d'accepter à contrecœur ou d'opposer un refus. Or, l'homme résolu à développer son influence personnelle doit se décider à apprendre à dire « non » avec autant de fermeté que de courtoisie. En semblable occurrence, certains usent de prétextes en vue de donner à leur refus un tour diplomatique, de tempérer le mécontentement qu'il inflige. Exprimé sur un ton de regret, tout prétexte suffisamment vraisemblable peut parfaitement donner le change et désarmer. Si la chose se passe dans un milieu tout à fait distingué, nul n'insistera, ne discutera le prétexte invoqué. Si, au contraire, on se trouve en face d'une obstination plus ou moins persistante, il faut, sans faillir en rien aux obligations de la plus parfaite politesse, demeurer inébranlable.

---

6. *Op. cit.*

6. L'éducation au service de l'influence personnelle

Ce que l'on entend, communément, par le mot « éducation » consiste à se conformer, dans la vie sociale, à diverses règles conçues en vue d'éviter les heurts, de ménager les susceptibilités, de n'importuner personne et de flatter indirectement l'amour-propre d'autrui. Un code de « convenances », élaboré à l'aide du temps et de l'observation, expose les règles en questions et en explique le bien-fondé. On y trouve, d'autre part, certaines prescriptions aussi surannées que les révérences de cour, le baisemain et autres gentillesses. En tout état de cause, mieux vaut ne rien ignorer des mille et une conventions que l'on peut lire dans les traités spéciaux, ne serait-ce que pour pouvoir, le cas échéant, évoluer sans embarras — et sans rire — dans n'importe quel milieu.

Du sens de la mesure et du tact — inséparables d'une sensibilité clairvoyante — procèdent les principes essentiels de la civilité, principes que l'on peut ramener au souci de manifester dans son attitude, ses manières et ses paroles, du ménagement et de la considération à l'égard de tous. Même dépourvue de l'éducation la plus rudimentaire, toute personne douée de délicatesse manifeste spontanément une appréciable sociabilité. Elle ne semble pas, par exemple, remarquer chez les autres les disgrâces, les désagréments physiques, les travers ou l'indigence cérébrale dont ils peuvent se trouver affligés ; elle ignore les écarts de langage, la grossièreté ou l'attitude provocante du mécontent et contribue ainsi à l'apaiser. Elle témoigne à tous, même aux plus petits, un minimum de bienveillance et d'attention.

Considérée comme moyen d'influence personnelle, la politesse peut jouer un rôle considérable. De même, dit Schopenhauer, que la cire dure et cassante devient, sous l'effet d'un peu de chaleur, si malléable qu'elle prend toutes les formes qu'il plaira de lui donner, on peut, par la politesse, rendre souples et ductiles — voire complaisants — des hommes revêches et hostiles. L'auteur compare les marques de politesse aux jetons d'une monnaie notoirement fausse : les épargner, dit-il, serait déraisonnable. Le sage sait en user avec d'autant plus de libéralité qu'elles ne coûtent rien et en tirer de substantiels profits.

L'observation des principes de la civilité n'implique jamais — j'insiste sur ce point — l'obligation d'infléchir votre comportement ou vos décisions aux volontés de qui que ce soit. Elle prohibe les fins de non-recevoir brusques ou hautaines, mais n'oblige ni à rendre des comptes, ni à produire des justifications. Votre éducation doit servir par-dessus tout *votre* personne, contribuer à *votre* succès, à *votre* réputation. En toute occasion, votre courtoisie adoucira la contrariété que l'indépendance de votre conduite pourrait occasionner autour de vous. De surcroît, de la fermeté dont vous saurez faire preuve une considération spéciale de tous à votre égard s'ensuivra.

7. Persistance et combativité

Pratiquer la culture psychique, c'est « remonter le courant » qui entraîne à la dérive l'homme dépourvu de la combativité nécessaire pour lutter contre le flot et prendre la direction qu'il sait judicieuse. Malaisée mais indispensable, la substitution d'un comportement raisonné aux anciens automatismes ne s'improvise pas. Le naturel tend à revenir au galop jusqu'au jour où, après avoir été freiné et surmonté des centaines de fois, ses tentatives de retour s'espacent, deviennent moins vives, puis se raréfient à un point tel qu'on peut le tenir pour définitivement subjugué. Persister dans la lutte, ne jamais rester longuement déconcerté, conserver la détermination de « toujours se ressaisir », telles sont les conditions indispensables de la victoire finale.

Parmi ceux qui auront pris connaissance de ce manuel, il se trouvera certains enthousiastes qui se mettront à l'œuvre sur-le-champ, avec fougue, hardiesse, énergie et obtiendront ainsi en quelques semaines des résultats extraordinaires. Ensuite surviendra une certaine lassitude (normale à la suite d'un effort trop intense et trop prolongé). La vigilance tendra alors à se relâcher et le *modus vivendi* d'antan à reprendre le contrôle de l'intéressé. Celui-ci ne tardera pas à s'apercevoir de son retour en arrière. Pourquoi cette régression le découragerait-elle plus de quelques instants ? Après une révision des principes de l'influence personnelle, qu'il entreprenne de briser une seconde fois l'obstacle. Il y parviendra d'autant plus sûrement qu'il l'a déjà surmonté.

D'autres lecteurs, bien qu'animés d'un puissant attrait pour tout ce que nous venons d'exposer, se complairont purement et simplement à en imprégner leur imagination, à en alimenter leurs rêveries. Ils ne verront pas d'emblée, clairement, que l'obtention des résultats envisagés est incompatible avec la passivité qui les incite à vivre exactement comme au cours des années précédant l'acquisition de leur savoir, à vivre « comme tout le monde » — entendez comme ceux qui ignorent tout de la culture psychique. Or, à tous le temps est mesuré. Cessez d'atermoyer et passez méthodiquement à la pratique, en visant chaque jour à l'accomplissement d'un progrès.

Je ne crois pas inutile de m'adresser, en dernier lieu, à ceux qui sont persuadés que le caractère est immuable et qui, par conséquent, considèrent comme vaine toute tentative d'instauration du gouvernement délibéré de soi-même.

Le plus radicalement déterministe des philosophes convient de ce que la pensée réfléchie, l'attention et l'effort peuvent modifier profondément les dispositions initiales de quiconque : « *Il ne faut pas croire qu'il soit impossible de diriger sa conduite dans la vie sociale par des règles et des maximes abstraites et qu'il vaille mieux, par conséquent se laisser aller tout bonnement. Il en est de celle-ci comme de toutes les instructions et directions pratiques : comprendre la règle est une chose, apprendre à l'appliquer en est une autre. La première s'acquiert d'un seul coup par l'intelligence, la seconde s'acquiert peu à peu par l'exercice* (7). »

Un autre penseur, grand expérimentateur des phénomènes psychiques : Hector Durville, déclare que nous pouvons non seulement modifier notre caractère mais le changer à peu près complètement. « *L'âge, la maladie, les circonstances mêmes font disparaître certaines tendances et en laissent naître de nouvelles. Dès que l'homme sait vouloir, il renforce son libre arbitre et exerce une action directe sur les événements ordinaires de la vie* (8). »

Faites-en l'essai, il vaut la peine d'être tenté ; ses résultats vous convaincront mieux que toutes les paroles.

---

7. Arthur Schopenhauer, *op. cit.*
8. Hector Durville : *Magnétisme personnel* (Éditions Perthuis).

8. La période d'adaptation

Au terme de cette seconde partie, parmi ceux qui auront trouvé quelque intérêt à sa lecture, certains vont penser : « *Cette perpétuelle autosurveillance, cet effort continuel d'autocontrôle ne sont pas engageants ; et la contention de l'expansivité, la renonciation à se confier, à rechercher la sympathie, voilà qui semble contrariant !* »

Ce qui paraît pénible — les premiers temps du moins — dans l'observance des principes de l'influence personnelle, ce n'est pas tant ce qu'ils exigent d'attention, de circonspection, de réserve et de repli en soi-même : c'est le fait de changer d'habitudes, de substituer aux automatismes acceptés et formés depuis des années une orientation mentale et un comportement nouveaux.

Tout changement, si judicieux et si attrayant soit-il, comporte une période d'adaptation non sans désagréments. Surmontez le désagrément de cette période, passez outre. Persistez. Bientôt l'accoutumance viendra et ce ne serait pas volontiers que vous reprendriez vos habitudes d'antan.

Celui qui aborde l'exercice musculaire quotidien ne ressent, au début, que courbatures et endolorissement. Après quelques semaines tout s'adoucit et bientôt, le besoin une fois créé, le culturiste trouve un vif plaisir dans l'accomplissement de la séance matinale. S'il se trouve circonstanciellement empêché de procéder à ses exercices quotidiens, il a toute la journée l'impression que « quelque chose lui manque », à peu près comme s'il avait dû se priver d'eau et de savon à l'heure des ablutions habituelles.

L'adepte de la culture psychique ne tarde pas à trouver du charme à la vie nouvelle qu'il s'efforce d'adopter. Son équilibre, ses aspirations à la supériorité, les effets de son influence, sa plus grande aptitude à réaliser ses desseins, le sentiment de confiance en lui-même, d'assurance et d'indépendance qui s'ensuit sustentent ses énergies et lui dispensent un contentement auquel il ne saurait renoncer.

*
*   *

De la mise au point et de l'usage des éléments extérieurs ou *visibles* de l'influence individuelle, nous allons passer à l'étude et au développement des éléments *invisibles*, c'est-à-dire du magnétisme personnel.

Au cours de la première partie je crois m'être clairement expliqué sur les analogies, rapports et différences des deux sources du pouvoir de la volonté. La mesure dans laquelle vous vous conformez aux indications qui ont fait l'objet de la seconde partie représente la mesure même de vos possibilités de mise en pratique de la troisième partie qui va suivre.

Là, il ne s'agira plus seulement de subordonner à des règles précises vos manifestations visibles, mais de conquérir l'attribut le plus précieux que puisse ambitionner l'être humain : le gouvernement de la vie psychique, de la vie intérieure, en bref de la pensée.

Gouverner sa pensée, c'est s'affranchir des chaînes de la fatalité, réduire au minimum toute dépendance et disposer du plus subtil moyen d'influer silencieusement sur autrui et sur le destin.

TROISIÈME PARTIE

Magnétisme personnel et influence invisible

CHAPITRE VII

Votre influence invisible

1. La vie psychique de l'être humain

En marge de la silencieuse activité physique et végétative, génératrice et régulatrice de la vie organique, une autre vie intérieure — la vie psychique — anime l'être humain. Fort complexe, elle se présente sous deux aspects généraux distincts :

— D'une part, celui que la psychologie classique nomme **vie affective** : manifestation de la sensibilité, des tendances, avidités, aversions, émotions, sentiments, passions.

— D'autre part, la **conscience** : le discernement, la pensée délibérée et objective, la logique, la raison.

Or, la vie psychique a non seulement un retentissement direct et souvent rapide sur nous-même, mais elle engendre une irradiation qui s'extériorise à travers l'espace et subsiste dans le temps. Cette irradiation influe sur ceux qui nous préoccupent, sur des êtres inconnus qu'impliquent nos préoccupations et sur les agents impondérables, générateurs d'éventualités imminentes ou lointaines dont sera tissée la trame de notre devenir.

Votre activité psychique suscite des attirances et des répulsions, des possibilités et des incompatibilités. C'est l'ensemble de ce phénoménisme que l'on désigne par l'expression « *magnétisme personnel* ». Ainsi, toute créature humaine se trouve-t-elle douée d'une propriété irradiante plus ou moins intense selon le degré d'ardeur de sa vie psychique, plus ou moins heureuse dans ses répercussions selon qu'elle est dirigée ou non.

Concevoir le magnétisme personnel comme une prérogative dévolue seulement à certains êtres exceptionnels, ou comme une sorte de « pouvoir » que l'on peut acquérir moyennant la connaissance et la mise en pratique de procédés secrets, serait s'écarter de la vérité. Le magnétisme personnel ne saurait résulter de l'étude d'un ou plusieurs livres : ce sont les livres écrits sur la question qui résultent de l'observation et de l'analyse des lois directrices de l'activité psychique.

Ainsi que je l'ai déjà noté, l'apparence la plus chétive ou la structure la plus disgraciée restent compatibles avec une très puissante influence invisible. Si l'intensité de la vie intérieure s'accompagne d'un discernement lucide et d'une fermeté exemplaire, l'individu le plus ingrat sera attractif. Il trouvera les appuis, les concours moraux et matériels nécessaires à l'accomplissement de ses desseins. Des circonstances favorables viendront à lui et, dans les pires tourments, il demeurera — pourvu qu'il le veuille — comme miraculeusement protégé. Ajoutons que ses succès personnels seront plus considérables que ceux de nombreux hommes d'apparence plus favorisée, mais de vigueur psychique faible ou vacillante. Cela s'applique également à la femme : faute d'un attrait invisible assez intense, la beauté — si sculpturale soit-elle — ne suffit pas à engendrer d'emprise profonde exclusive et stable. Une telle emprise émane essentiellement du mental. Une femme de caractère, pourvu qu'elle soit aussi une femme de tête, s'impose, même si son aspect physique s'avère quelconque ou même ingrat.

Puisque le magnétisme personnel ne résulte jamais d'une révélation livresque, puisque chacun de nous a *son* magnétisme personnel — intense ou vacillant, favorablement ou fâcheusement orienté — de quelle utilité va vous être le présent ouvrage ?

Nous appuyant sur un demi-siècle d'étude, d'observations et d'expérimentations, nous croyons pouvoir vous montrer comment élever le potentiel de *votre* influence pour qu'elle engendre des effets de plus en plus précis et rapides, puis comment gouverner cette influence de manière à ce que ses répercussions extérieures soient exactement conformes à vos intentions, à votre pensée délibérée, à vos intérêts, à l'harmonie de votre destin.

L'atteinte des objectifs que vous considérez comme désirables, le pouvoir d'écarter de vous toute affliction, toute sujétion vis-à-vis desquelles vous ressentez une vive aversion **dépendent de vous**.

Votre condition actuelle — du moins pour l'essentiel — résulte principalement de votre activité psychique antérieure. Votre condition future, à brève et à longue échéance, il vous appartient de la déterminer. Vous y parviendrez dans la mesure même de votre application à vous conformer aux instructions qui vont suivre.

La plus fugitive de vos pensées contribue à déterminer certaines attirances et certaines éventualités. Entreprenez de diriger votre vie psychique. Vous agirez alors *consciemment* sur l'attitude d'autrui et sur l'influence des circonstances vis-à-vis de vous-même.

De par notre structure nous sommes, suivant le cas, plus ou moins amorphe, indécis, dispersé ou bien ardent, résolu, concentré. Vous le savez déjà, c'est de l'ardeur que procède la puissance agissante du magnétisme personnel. La même structure dote chacun d'un jugement plus ou moins pénétrant, sûr, rapide et précis. Or, une certaine lucidité d'esprit est indispensable pour diriger avantageusement la puissance issue de l'ardeur et de la concentration.

Ce que nous vous proposons, c'est de travailler en vue de modifier votre conditionnement primitif, lequel, loin d'être immuable, reste soumis à la loi du perpétuel devenir, de l'évolution. Tout effort accompli en vue de résister au courant et de le remonter dans la bonne direction facilitera les suivants.

2. L'agent universel

Une influence s'irradie ?... Mais comment ? Quelques considérations sur ce sujet ont leur place ici.

Il y a une soixantaine d'années, seuls quelques savants spécialisés possédaient la claire compréhension du mécanisme de la télégraphie sans fil. Au sein du grand public auquel l'écho de la nouvelle découverte parvint par quelques articles de presse, que de gens « sensés » haussaient les épaules quand la conversation s'orientait vers les étranges possibilités révélées par Marconi, Edison et quelques autres : « *Comment,* disaient ces logiciens, *pourrait-*

on transmettre un message alors qu'aucun fil ne relie l'émetteur au récepteur ? »

Cependant, depuis des millénaires la doctrine hermétique fait état d'un agent universel assez subtil pour pénétrer la matière la plus dense et assez ductile pour véhiculer toute irradiation. Cet agent — l'une de ses modalités, du moins (1) — dénommé « éther » par les physiciens, véhicule effectivement les ondes radio émises par tous les postes du monde : elles arrivent à votre récepteur, de tous les points du globe, à travers les plus épaisses murailles. Plus surprenante encore est la télévision.

En vérité, nous nous trouvons tous immergés dans un vaste océan éthérique. D'une part, il nous transmet des influences qui, à notre insu, nous affectent, s'insèrent dans notre subconscient et influent sur nos pensées ; d'autre part, il s'anime des vibrations qu'irradient nos propres dispositions psychiques.

Ainsi, par le truchement d'un agent hyperphysique omniprésent, nous sommes en rapport effectif et constant avec tous les êtres, plus particulièrement avec les individualités connues ou inconnues desquelles dépend la réalisation de ce que l'on souhaite et l'éviction de ce que l'on abhorre. C'est dire que nous influons sur le facteur humain de nos destinées respectives, mais — et l'observation le montre — l'influence psychique de chacun ne se limite pas aux êtres : elle s'étend aux forces, aux agents cosmiques, aux virtualités génératrices des éventualités en gestation.

Isolé, obscur, sans relations ni ressources matérielles abondantes, l'homme résolu à s'élever, par la condensation et la concentration de ses énergies intérieures, attirera vers lui ce que rêvent ses secrètes pensées. Il attirera le complémentarisme de ses diverses aspirations, pourvu que celles-ci soient cohérentes, compatibles les unes avec les autres et classées selon leur degré d'importance objective. Chacun a l'occasion d'observer, au moins une fois dans le cours de sa vie, quelque personnage dont la fermeté et l'acharnement dirigés par un jugement réaliste et clair, ont suffi — en dépit d'une instruction rudimentaire et d'origines fort médiocres — à assurer un succès d'envergure grandissante avec les années,

---

1. Les théosophes de l'Inde en distinguent sept, distincts par leur degré de subtilité.

une influence, une autorité et une notoriété dues à un rayonne-ment attractif et sympathique. Voilà l'exemple à suivre.

Certes, même sans l'action du magnétisme personnel, les qua-lifications nommées fermeté, acharnement et clarté d'esprit suffi-raient à produire certains résultats. Mais, si on analyse la carrière de l'homme que nous désignons comme modèle, on constatera que lui sont arrivées des inspirations ingénieuses et fécondes, qu'il s'est fortuitement trouvé en rapport avec des individualités dont l'objec-tif comportait une simultanéité d'intérêt avec son propre objectif. On dira aussi qu'il a été en mainte occasion favorisé par les cir-constances, qu'il a eu « de la chance ». Son activité, dans le sens matériel du mot, n'explique pas tout. Son influence invisible a joué un rôle prédominant par rapport à son activité, comparable à l'exposant d'une notation algébrique.

3. Sources de l'intensité

L'intensité de la vie psychique conditionne directement, nous l'avons vu, le degré de la tension d'extériorisation magnétique. A tension basse, influence faible. A tension moyenne, influence nor-male. A tension haute, influence exceptionnelle. Élever le tonus — l'ardeur intérieure — c'est accentuer l'efficience de notre pro-priété irradiante.

L'endocrinologie a mis en évidence une source d'intensité dont le rôle, bien que purement quantitatif, ne saurait être passé sous silence. Je veux parler de la sécrétion interne des glandes surréna-les qui, déversée dans le torrent circulatoire, se diffuse parmi tou-tes les cellules de l'organisme et dont nous retiendrons uniquement ici les effets activants sur l'arbre neurocérébral, sur l'influx ner-veux, sur les fonctions intellectuelles. Un homme pourvu de sur-rénales à « grand rendement » a le goût de l'activité pour l'acti-vité : il aime l'effort (surtout musculaire) en soi. A moins qu'il ne poursuive un but précis, qu'il n'ait conçu une direction réflé-chie et invariable à donner à ses énergies, il s'agite ou se dépense en mode dispersé, incoordonné, c'est-à-dire sans effet utile. Il fait penser à une roue motrice qu'aucune courroie de transmission ne relie à quelque engin producteur. Inversement, l'insuffisance surrénalienne prédispose à un état moral et physique avachi, tendant à former des caractères inertes, indécis et amorphes.

Si tel est votre cas, la parole est au médecin spécialiste. Loin de déconseiller systématiquement le recours aux ressources de l'arsenal médicamenteux en général, je déclare qu'il est indispensable de les utiliser quand il y a lieu. Leurs possibilités restent limitées et ne dispensent jamais d'un comportement inspiré par les lumières d'une saine physiologie, mais l'aide qu'elles peuvent apporter — surtout du point de vue endocrinien — permet presque toujours de franchir l'étape qui sépare la quasi-impotence de l'état où l'entraînement, l'exercice et un minimum d'effort deviennent possibles.

La parole est également au diététicien. En effet, tel régime favorise les fonctions endocriniennes, tel autre les entrave et même les anéantit. L'usage habituel et fréquent de certaines substances, notamment de l'alcool sous toutes ses formes, suffit à entraîner l'inéluctable dégénérescence des glandes à sécrétion interne.

Cette courte digression nous ramène, plus qu'elle ne semble nous en écarter, à la vie psychique proprement dite. En effet, on sait que certaines émotions activent instantanément la sécrétion surrénalienne, tandis que d'autres en suspendent la fonction en l'espace de quelques secondes. D'où ces exaltations et ces dépressions consécutives à tels ou tels chocs émotifs, alternance fréquemment observable sur des sujets à dominance humorale nerveuse. Le rendement des surrénales, « *glandes de l'intensité* » disait le docteur Paul-Émile Lévi, dépend donc considérablement de vos dispositions morales. Si, manquant de dynamisme, vous vous insurgez mentalement avec violence et, si possible, avec continuité contre cette déficience, vous déterminerez en vous-même une transformation, une activation énergétique manifeste. Très vraisemblablement, la structure et le fonctionnement de vos surrénales se modifieront ainsi sous l'influence de votre pensée.

Imaginez, analysez, réfléchissez sur tout ce dont l'insuffisance des sources biologiques de vos énergies vous prive, vous maintenant incapable d'entreprendre et de mener à bien des initiatives et des tâches dont votre avenir dépend, vous infligeant dans l'immédiat de multiples désavantages. Représentez-vous tout ce qu'il vous deviendrait possible d'obtenir, de réaliser ou d'éviter si, au lieu de vous sentir freiné, vous vous sentiez propulsé. La réaction psychosomatique s'effectuera. Une amélioration de plus en plus appréciable vous permettra de vérifier à quel point l'intervention du psychisme peut s'imposer aux mécanismes internes les plus profonds, les plus délicats.

Se résigner à l'inévitable — s'il s'agit réellement d'inévitable — constitue, certes, une manifestation de sagesse, mais s'abandonner à l'inertie en présence d'obstacles (internes ou externes) surmontables équivaut à se rendre avant de combattre.

Ne vous résignez ni à vos déficiences constitutionnelles, ni à votre sort s'il vous déplaît. Insurgez-vous mentalement, ainsi que je vous le disais plus haut. **Entretenez votre révolution intérieure.** Décidez d'augmenter vos forces, d'atteindre la puissance de travail, le niveau culturel et social correspondant à vos aspirations. Fermez l'oreille aux propos des fatalistes, des « décourageurs » de toute catégorie. Allez de l'avant, silencieusement concentré, impassible et résolu : vous ne tarderez pas à vérifier que *vous pouvez*.

Plus encore que vos ressources endocriniennes, l'ardeur, la cohérence, la convergence de vos tendances, penchants, aspirations, sentiments et passions — toutes choses que je résume par les deux mots *avidités* et *aversions* — conditionnent votre irradiation magnétique. Sur le sens que j'attribue aux deux mots précédents, que nul ne se méprenne. On entend communément « avidité » dans sa seule acception péjorative. On dit : « *Un homme avide d'argent, avide de plaisirs, avide de grandeurs.* » En réalité, il s'agit d'une disposition morale qui caractérise, non pas uniquement les cupides ou les jouisseurs, mais aussi tous ceux qui s'évertuent avec application et persistance à l'obtention d'un résultat quelconque. Ce chercheur courbé quinze heures par jour sur ses instruments, ses alambics ou ses épures, est un homme avide de quelque découverte. Ce compositeur dans l'attente de l'inspiration, insoucieux du temps, du monde extérieur et de sa propre fatigue, est avide des éléments d'une réalisation artistique. Ce célèbre capitaine d'industrie, depuis longtemps comblé par la fortune et que l'argent intéresse moins qu'il n'intéresse le dernier de ses sous-ordres, poursuit un écrasant labeur parce qu'il reste avide d'une plus grande puissance économique ou financière. Nul n'accomplit le moindre acte de volonté qui ne soit « propulsé » par quelque avidité. L'ascète lui-même, s'il ne ressentait une exaltante avidité pour son objectif mystique, ne s'imposerait pas les astreintes et les efforts qu'implique l'atteinte de celui-ci. Ce sont d'ailleurs des avidités d'ordre psychique, et non les appétences matérielles ou sensorielles, dont il est question. Ces dernières animent plus ou moins la volonté mais, difficilement compatibles avec la pondération et la lucidité mentale, je les considère comme des éléments secondaires de l'élan intérieur, disons comme des auxiliaires sur lesquels la vigilance du jugement et l'autorité du psychisme supérieur ne doivent jamais se relâcher.

Ceux qui sont presque exclusivement mus par un désir d'assouvissement de satisfactions sensorielles émettent rarement un magnétisme dont l'efficacité soit de grande envergure : leur plan de vie demeure restreint à quelques satisfactions secondaires. Chez eux, l'ouverture d'esprit manque d'étendue. Leurs délibérations raisonnées n'envisagent pas assez largement, pas assez lucidement les grandes lignes de l'existence. Or, on n'influe jamais avec précision que sur ce que l'on se représente mentalement avec clarté et avec le sens des relations de cause à effet.

4. Pour diriger avec efficacité votre influence

Dans son *Traité méthodique de magie pratique* (2), Papus compare l'être humain à un attelage. La voiture est l'organisme, le cheval représente la force animatrice de l'organisme, le cocher joue le rôle du regard et du cerveau qui conduisent l'attelage. A cette comparaison, qui n'a rien perdu de sa clarté, je propose — en raison de la raréfaction des véhicules hippomobiles — celle-ci : carrosserie pour organisme, moteur pour propulsion, conducteur pour direction. L'expérience et l'attention de celui qui tient le volant, ainsi que la structure de la carrosserie importent, c'est évident, mais leurs rôles demeurent subordonnés à la puissance et au parfait réglage du moteur ainsi qu'à son alimentation en carburant.

---

2. Éditions Dangles.

Du point de vue psychique, le carburant, la source du dynamisme intérieur, c'est avant tout l'avidité et, pour tout dire, la passion (morale, bien entendu). Nous ne saurions énumérer toutes les modalités de la passion, mais nous pouvons les condenser en sept manifestations distinctes :

— Passion de l'indépendance.

— Volonté de puissance au sens nietzschéen du mot : passion du pouvoir, de la suprématie scientifique, industrielle, financière, commerciale, sportive, etc.

— Passion de la supériorité sous une forme quelconque : technique, artistique, littéraire, artisanale, etc.

— Passion de l'atteinte d'un niveau social supérieur. C'est ce qu'entendent, je crois, ceux qui parlent d'arrivisme.

— Passion de la virtuosité dans l'exécution de tâches ou de missions particulièrement délicates.

— Passion de la connaissance, du savoir, de l'investigation, de la découverte.

Animé par l'un de ces sept carburants, n'importe quel psychisme, fut-il inséré dans un organisme faible, émettra un rayonnement (un magnétisme personnel) aux effets surprenants, non pas uniquement à cause de sa puissance, mais aussi parce que concentrée, orientée avec une fixité constante, la vie intérieure ne subit aucune dispersion.

Ainsi, celui ou celle qui veut exercer une influence effective sur les gens et sur les choses doit avant tout donner à sa vie mentale un point de catalyse, un but, un objectif maintenu au premier plan de ses préoccupations et vers lequel convergent ses pensées. Si l'objectif se situe dans l'ordre matériel, il reste préférable à l'apathie et à l'éparpillement mais, je le répète, ce sont les **aspirations d'ordre psychique** qui constituent les sources majeures d'animation.

L'ambition sous toutes ses formes, fût-ce celle de la réussite matérielle, doit être considérée comme un carburant efficace de la vie psychique. Point n'est besoin, d'ailleurs, de visées mégalomaniaques. Un métallurgiste animé par l'ambition d'acquérir l'habileté, la sûreté, la précision et la virtuosité nécessaires à le promouvoir « ouvrier hautement qualifié » développe, par l'orientation de ses facultés vers un objectif primordial, une puissance irradiante considérable.

Devenir expert dans le métier ou les fonctions que l'on exerce, voilà une sorte d'ambition concevable et réalisable par n'importe qui. Un but bien défini, une application assidue dont rien ne peut détourner ou distraire la pensée, tels sont les deux éléments fondamentaux d'où émane le magnétisme personnel.

Après avoir défini le « moteur », il nous faut parler du « conducteur ».

Certains individus, animés d'une des modalités de passion énumérées plus haut, disposent d'un moteur qui tire à plein rendement, robuste et résistant, alors que le conducteur — c'est-à-dire la pensée délibérée, la volonté réfléchie — manque de présence d'esprit et de pondération. Cette dernière qualification est indispensable pour diriger avec adresse l'élan animateur. Nous verrons plus loin comment la mettre au point de manière à ce que la circonspection et l'esprit de méthode restent maîtres des forces dont ils disposent.

S'il est vrai que tout attrait intensément ressenti engendre de l'énergie, toute aversion peut également en devenir une source. Dans les premiers ouvrages publiés sur le magnétisme personnel, on lit que « *les semblables attirent les semblables* ». Nous reviendrons sur cette affirmation et les réserves qu'elle comporte. Pour l'instant, je dois dire que les émotions, même négatives (crainte, anxiété, peur, appréhension, horreur), peuvent fort bien remplir un rôle utile : celui d'agents de réaction, à condition d'insurger celui ou celle qui les éprouve contre leur objet et non d'être ruminées jusqu'à l'obsession avec le sentiment de l'inévitable.

Ce dont vous ressentez l'aversion, pourvu que celle-ci fasse surgir de vous la détermination inflexible et résolue de l'écarter, ne vous surviendra jamais. Ne dites pas : « *Je redoute ceci, j'ai l'angoisse de cela, je sens que cela va fatalement m'arriver* », mais dites : « *Justement parce que je l'appréhende, parce que je l'abhorre, parce que je ne veux le subir sous aucune considération, cela n'arrivera pas !* » A noter que c'est justement ce dont la perspective nous tourmente qui survient le plus rarement, alors que la « tuile » qui tombe ou l'affliction qui frappe se situent dans un domaine auquel nous n'avions jamais pensé. Les pratiques auxquelles nous allons vous initier dans les chapitres suivants vous mettront à même d'appliquer, pour la sauvegarde de votre personnalité, l'aphorisme bien connu : gouverner, c'est prévoir.

En guise de conclusion à ce paragraphe, décidez ceci : *partant de l'état actuel de mes possibilités, je veux arriver, en définitive à une condition définissable par le fait que :*
— *Le niveau de mes connaissances et de ma compétence atteindra...*
— *Je serai apte à accomplir...*
— *Je posséderai ou je disposerai de...*
— *Ma personnalité déterminera autour de moi telle influence, telles attirances...*
— *Ma sécurité sera assurée par...*
— *Mes loisirs seront de...*
— *J'occuperai, dans tel milieu, telle situation...*
Ayant ainsi établi les bases du grand dessein que votre activité doit tendre à réaliser et dont la présence permanente, dans le champ de la conscience, stimulera constamment vos énergies, ne cherchez point à préciser les détails du faîte avant d'avoir solidement assis les fondations. Subdivisez l'exécution de votre plan en étapes. Dites-vous : « *Avant tout, il est essentiel que j'obtienne tels et tels résultats, lesquels me rapprocheront de mon but ultime, soit matériellement, soit en augmentant ma valeur, ma puissance réalisatrice.* »

Rappelez-vous que l'objectif primordial que vous devez vous fixer *maintenant* est de vous graver dans l'esprit les principes que vous venez de lire, d'y réfléchir et de vous en inspirer à tout instant. J'ai la conviction qu'après lecture du présent paragraphe vous vous sentez déjà un peu plus fort.

5. Comment « cohérer » vos forces mentales

L'individu le plus modestement doué, s'il se conforme aux indications précédentes, conditionnera son activité psychique en mode *convergent*, donc magnétiquement efficace. Malgré les plus brillantes aptitudes, la *dispersion* et l'*éparpillement* impliquent une multiplicité d'états d'âme, l'émission de courants de pensées dont la teneur respective se trouve plus ou moins divergente ou incompatible et qui s'annulent, tout comme l'antidote d'un corps chimique annule l'effet d'un autre.

La multiplicité de nos états d'âme est seule cause de ce que nous ne réalisons et n'obtenons pas ce que nous souhaitons. En effet, il ne suffit pas de vouloir une chose pour l'obtenir, encore faut-il n'en pas envisager d'autres incompatibles avec la première. Vouloir à la fois le bien-être physiologique constant et d'intensives jouissances, désirer à la fois les lumières de la connaissance et l'opulence matérielle, poursuivre à la fois l'accès à la puissance et quelque réalisation esthétique, prétendre accomplir une œuvre grandiose et vivre un amour éperdu, c'est émettre deux courants de force qui tendent à se neutraliser.

Tout succès résulte d'une concentration de l'énergie psychique vers *un seul* objectif. Tandis qu'un homme intelligent, subtil et doué peut demeurer une pitoyable épave s'il émiette ses forces mentales, le plus humble qui saura et voudra s'appliquer à l'atteinte d'un but unique, se donnant corps et âme aux tâches qu'implique ce but, peut envisager avec confiance une réussite certaine. Lentement peut-être (surtout au début) mais sûrement, il attirera à lui les inspirations, les coopérations, les occasions susceptibles de guider, d'appuyer et de favoriser son activité. Il arrivera à ses fins et le succès sera sa récompense (3).

Concevoir clairement ce que l'on veut, réfléchir sur les étapes successives à franchir et en accepter les efforts non pas comme de pénibles nécessités, mais comme autant de moyens d'action, c'est créer et diriger les énergies psychiques qui détermineront le résultat final.

Ayez un plan de vie minutieusement étudié et défini pour l'ensemble de votre existence, un plan subdivisé en années. Pour chaque journée, plannifiez à l'avance votre activité, heure par heure. Conformez-vous ensuite, avec une fermeté inflexible, à cette prévision, restant sourd et aveugle à toute influence (humaine ou circonstancielle) qui tendrait à vous en détourner. Le tonus de vos énergies s'élèvera tel un mur s'élève par la patiente superposition des pierres. Votre influence deviendra de plus en plus manifeste,

---

3. Voir, du même auteur : *Les Lois du succès* (Éditions Dangles).

s'extériorisant toujours plus puissamment grâce à votre incessante activité mentale canalisée et maîtrisée vers votre but. Elle vous mettra en rapport avec d'autres personnes dont l'objectif de vie présentera avec le vôtre une simultanéité ou un complémentarisme ; chacune sera comparable à un élément de pile électrique venant s'ajouter à votre propre potentiel.

Même au cours de votre sommeil, votre activité mentale restera au travail, contribuant à faire naître des idées nouvelles dont vous prendrez conscience le lendemain, à l'état de veille. Votre subconscient, loin de s'endormir durant le sommeil, poursuit son activité dont l'expression la plus familière est le rêve avec ses prémonitions qui montrent des propriétés d'extension lointaine.

Quand vous vous endormez en « creusant une idée », en vous représentant clairement les données d'un problème, vous déclenchez de subtils mécanismes cérébraux qui, tout au long de la nuit, travaillent à votre profit. Vu sous cet angle, l'aphorisme bien connu : « *La nuit porte conseil* » s'explique tout à fait. Notez les idées qui vous arrivent, soit lors d'une interruption de sommeil, soit le matin au réveil. La solution que vous ne « voyez pas immédiatement » ne tardera pas à faire irruption dans votre pensée si, inlassablement, vous maintenez en vous l'intention, la décision d'en obtenir la révélation. Sans présomption, sans espoir de fortuités gratuites dispensant d'autodiscipline et d'efforts, maintenez-vous dans une ferme confiance en vos *possibilités invisibles* (4).

Supposons qu'un certain nombre d'entraves circonstancielles s'opposent à la mise à profit des indications que vous venez de lire et de celles qui suivront. Refusez formellement de considérer ces entraves comme définitives, décidez de les désagréger une par une, de les anéantir progressivement en totalité. Cela exigera sans doute du temps et de l'application. N'atermoyez pas au moment de la première initiative : vous obtiendrez toujours un résultat, si minime soit-il, qui facilitera le suivant et ainsi de suite. Agissez en vue de hâter votre « libération ». Seule l'inertie conditionne la perpétuité de l'obstacle. Dès que l'initiative résolue se substitue à l'inertie, l'obstacle commence à se corroder.

---

4. Certains diraient « pouvoirs secrets », mais je préfère reléguer cette grandiloquente expression parmi les antiques et inexactes formules d'un emphatisme périmé.

6. Les semblables attirent les semblables

La doctrine esquissée jadis par Emerson, puis développée par Prentice Mulford, William-Walker Atkinson, Victor Turnbull et Hector Durville, doctrine dénommée « *New Thought* » (la pensée nouvelle ou pensée positive), constitue un ensemble de considérations relatives au rôle et aux répercussions extérieures de la pensée, donc du magnétisme personnel. Selon les spécialistes précités, notre activité psychique et son irradiation seraient régies par une loi qu'a ainsi exprimée Hector Durville : « *Les pensées et les actions de même nature attirent et font naître ou augmentent la considération, la sympathie, la confiance et l'amour que les individus sont susceptibles d'avoir les uns pour les autres ; les pensées et les actions de nature opposée se repoussent et donnent lieu à l'antipathie, à la méfiance, à la haine* (5). »

Telle que formulée ci-dessus, cette loi, simpliste, me semble devoir être reconsidérée.

Quand Atkinson écrit « *la crainte attire la crainte, la tristesse attire la tristesse* », il voulait sans doute dire, mais il ne l'a pas spécifié : la crainte ou la tristesse *auxquelles on s'abandonne passivement*. Dès l'instant où la crainte fait naître la mise en garde, la circonspection et la détermination formelle d'écarter son objet, ses effets se trouvent en voie de neutralisation. En ce qui concerne la tristesse, si l'on rumine docilement de sombres pensées, on attire à soi des pensées et des influences analogues venues de l'extérieur, ce qui détermine une véritable auto-intoxication pouvant aller jusqu'à l'obsession, au sens pathologique du terme. Si, au contraire, du désagrément inséparable de la tristesse surgit la résolution de faire quelque chose pour l'atténuer puis la faire disparaître, la transmutation de l'aversion en une initiative de sens contraire équivaut à tirer d'un état chagrin, l'énergie voulue pour créer, sinon la gaieté, du moins la sérénité.

Selon la doctrine déjà citée d'Atkinson, les pensées de courage, d'optimisme, d'activité et de succès attirent du dehors des influences conformes à leur teneur. Ici encore, je vais présenter une objection : si lesdites pensées émanent du penseur comme

---

5. *Op. cit.*

autant de rêveries, leur force agissante sera bien faible, pour ne pas dire insignifiante. Si, au contraire, elles naissent d'une ardente avidité pour le courage, la capacité d'effort, l'optimisme et l'action, d'impondérables influences afflueront vers l'intéressé, renforçant les dispositions morales de celui-ci et l'orientant vers la réussite.

Autre aspect de la question. Hector Durville nous dit : « *Celui qui aime ses semblables et ne leur fait jamais que ce qu'il voudrait qu'on lui fît possède naturellement l'influence personnelle à un degré plus ou moins élevé : il donne de la bonté et ne saurait rien recevoir de mauvais. En thèse générale, plus il dépense de bonté, à condition que cette dépense soit faite avec un désintéressement absolu, plus il reçoit.* » L'auteur de ces lignes (je l'ai intimement connu) était un homme non seulement bienveillant et bon, mais un idéaliste et même un mystique. Imprégnées de ses propres dispositions, ses conceptions s'avéraient plus élevées que réalistes.

En fait, les inoffensifs n'attirent pas exclusivement d'autres inoffensifs, mais aussi, en raison même de leur faiblesse, de redoutables personnages en quête de proies passives et bénévoles. En fait, les êtres conciliants et serviables se trouvent plus fréquemment mis à contribution que récompensés, à moins que leur vigueur psychique ne soit assez puissante pour les préserver.

Bonté, bienveillance et obligeance ne sauraient déterminer d'effets vraiment utiles aux autres et d'attrait favorable à vous-même que si ces dispositions sont réfléchies, attribuées avec discernement et non pas impulsivement ou aveuglément. Où je reste d'accord avec H. Durville, c'est sur le désintéressement absolu, car il serait candide d'escompter comme des certitudes la gratitude ou la reconnaissance. Ce dont vous pouvez être certain, c'est du « choc en retour » bénéfique des bonnes pensées que vous émettez délibérément, car même si elles n'éveillent pas de dispositions similaires à votre égard chez ceux qui en seront l'objet, elles vous placeront en état de réceptivité vis-à-vis de l'océan des forces invisibles et bienfaisantes au sein duquel nous sommes tous immergés et auquel notre psychisme ouvre un accès dès qu'il se trouve syntonisé avec lui.

Avec juste raison, tous mes prédécesseurs ont dénoncé le rôle funeste de l'hostilité, de la méchanceté, de la haine, de la cruauté et de toute pensée vindicative. Entretenir de pareils sentiments, fussent-ils justifiés, c'est gaspiller sans profit de l'énergie mentale et s'imprégner soi-même de ferments destructeurs.

Si quelqu'un vous inspire de l'aversion, bornez-vous à décider qu'il restera éloigné de votre présence ou mis hors d'état de vous nuire. Lui en vouloir serait peu objectif. Son comportement vis-à-vis de vous — comportement à considérer comme fonction de sa structure cérébrale — témoigne d'un manque d'équilibre et de jugement qui appelle votre commisération bien plus que vos représailles.

Atkinson et ses émules nous ont évangélisés d'une manière touchante sur « *l'amour du prochain, considéré comme un élément capital de magnétisme personnel* ». Les exigences d'une influence invisible exclusivement bénéfique sont à la fois moins sentimentales et plus précises. Si vous vous montrez rigoureusement *équitable* envers tous, vous réalisez l'une des conditions essentielles d'un magnétisme bienfaisant. Si vous vous efforcez de devenir de plus en plus compréhensif vis-à-vis de chacun, vous deviendrez de plus en plus bienveillant. Quand vous observez ou détectez l'origine des déplorables dispositions d'untel, le cheminement qui l'a conduit à accomplir des actes que vous réprouvez, accordez-lui une responsabilité très atténuée.

Nul ne porte, en effet, l'entière responsabilité de son déterminisme dont il subit, au contraire, les conséquences. Loin d'accabler l'être en question, dirigez vers lui une vigoureuse impulsion psychique en vue de hâter son évolution. Envers tous, et principalement envers ceux qui dépendent de vous, imposez-vous l'équité la plus scrupuleuse : vous l'obtiendrez ainsi vis-à-vis de vous-même, sous toutes ses formes.

7. Conceptions anciennes relatives au psychisme humain

Il a été question au paragraphe 2 d'un agent universel assez subtil pour interpréter tous les corps et considéré comme le véhicule commun de toutes les irradiations. En prenant connaissance de l'ésotérisme oriental ou de l'hermétisme occidental, on se rend compte que, dès la plus haute Antiquité, l'univers fut conçu comme constitué d'une série d'essences ou de substances dont la matière tangible représentait l'échelon le plus dense. Six autres modalités distinctes par leur degré respectif de subtilité et douées chacune de propriétés différentes formaient tout le concret, animaient et régentaient ses propriétés, assurant ainsi l'harmonie universelle.

Parmi ces modalités (désignées dans la littérature ésotérique sous le nom de « plans »), trois nous intéressent plus particulièrement au point de vue du magnétisme personnel :
— Le domaine **physique**, familier à tous.
— Le domaine **hyperphysique** (ou invisible) dans lequel tout baigne, établissant entre tous les corps visibles (minéraux, végétaux, animaux, êtres humains) une constante intercommunication. La radioactivité d'un métal ou d'un poisson trouve, au sein du monde hyperphysique, son véhicule (onde), tout comme les émissions de radio, de télévision, de radar et celles qui émanent du psychisme humain. Les occultistes nomment ce domaine *plan astral, lumière astrale, agent universel...* Qu'on l'envisage sous une appellation ou une autre, cela ne change rien aux faits qui en attestent la réalité.
— Le domaine **mental** ou **psychique**, dont les manifestations affectent le domaine astral et qui, par son intermédiaire, donne naissance à tous les phénomènes psychiques qui interpellent l'homme.

L'être humain, toujours selon la conception ancienne, comporte lui-même trois éléments principaux :
— L'**organisme** physiologique tel que nous le voyons.
— Un double invisible (de même nature que le plan hyperphysique universel) connu sous le nom de **corps astral** et dont la fonction correspond à l'activité subconsciente.
— Un **corps mental**, psychisme conscient, siège du discernement objectif, de la pensée délibérée et de la volonté réfléchie. Il correspond à la conscience psychologique.

Entre l'individualité humaine et l'univers, constitués d'éléments analogues, apparaît un triple rapport d'actions et de réactions. Le corps physique proprement dit se trouve, par ses contacts sensoriels avec le monde matériel, inféodé aux mêmes lois. Le corps astral reçoit de l'astral cosmique d'innombrables impressions ou impulsions ; réciproquement, chaque entité vivante engendre, au sein de ce plan, une onde expressive de ses attirances et répulsions, attirant ou repoussant ainsi les êtres, les forces, les circonstances et même les objets impliqués par sa vie intérieure. Quant au psychisme supérieur (ou corps mental), il subit ou gouverne l'activité du corps astral et du corps matériel selon qu'il est passif ou d'une fermeté au-dessus de la moyenne.

Nous retrouvons cette tri-unité humaine sous des dénominations différentes dans les principales doctrines anciennes (6). J'ai cru utile d'en donner un bref exposé, car il aidera le lecteur à mieux concevoir le mécanisme universel de sa propre influence attractive et dominatrice.

8. Vérifications expérimentales

Au cours du XIXe siècle, de nombreux phénomènes en conformité avec ces conceptions anciennes furent mis en évidence, dans le domaine de la parapsychologie.

Tout d'abord, notons les communications spontanées d'états de conscience et de pensées qui se produisirent avec une précision et dans des conditions telles que leur authenticité ne laisse aucun doute. De tels cas firent l'objet d'observations et de vérifications de la part de nombreux savants, dont les principaux sont Camille Flammarion, Pierre Janet, Boirac (recteur d'académie), Maxwell (magistrat), Gurney Myers (de Londres), Ochorowicz (professeur à l'Université de Lemberg), etc. Leurs travaux furent publiés et il suffit d'en prendre connaissance pour apprécier la rigueur et l'objectivité scientifique de leurs auteurs.

En second lieu vient la suggestion mentale, suggestion silencieusement imposée (de près ou de loin), soit à des sujets en état d'hypnose, soit à des personnes très réceptives à l'état de veille.

---

6. Kabbale hébraïque : *gouph* (le corps), *nephesch* (le double) et *ruach* (l'esprit).

Égypte : *kat* (le corps), *ka* (le double invisible) et *khou* (l'intelligence).

Chine : *xuong* (la substance organique), *khi* ou *ch'i* (le souffle de vie) et *wun* (la volonté).

Perse : *djan* (le corps), *ferouer* (l'animation) et *akko* (le principe éternel).

Inde : *rupa* (le corps physique), *linga sharira* (le corps astral) et *kama rupa* (le corps mental).

Ces phénomènes, expérimentalement provoqués par Ochorowicz, Gilbert, Janet et quelques autres (7), mettent en lumière l'inter-communication des psychismes humains.

L'extériorisation de la sensibilité et de la motricité, observée dans l'état postléthargique par le colonel de Rochas (administrateur de l'École polytechnique), inspira à un expérimentateur exceptionnellement doué, M. Hector Durville, une série d'expériences au cours desquelles il obtint (en présence d'un contrôle rigoureux) sur divers sujets, le *dédoublement*, c'est-à-dire la *sortie en astral* dont il est question dans tous les manuels d'occultisme, du plus ancien au plus récent. L'entité psychique consciente, véhiculée par le double sidéral, se sépare alors du corps matériel plongé dans l'état postléthargique et manifeste sa réalité, notamment par des déplacements d'objets sans contact.

C'était provoquer, méthodiquement et volontairement, le phénomène connu des théologiens sous le nom de *bilocation* (manifestations au même moment, à deux endroits fort éloignés, d'un même individu).

9. Directives pratiques essentielles

Le rappel de ces conceptions anciennes sur les questions psychiques et des recherches expérimentales modernes (qui vérifient appréciablement ces conceptions) renforce l'affirmation axiale du présent ouvrage : **chacun de nous irradie une influence aux multiples résonances.**

Revenons à la pratique, dont nous ne nous écarterons plus. S'il est vrai, d'une part, que le degré de puissance attractive et dominatrice du magnétisme personnel procède de l'intensité de la vie intérieure et s'il est vrai, d'autre part, que pour engendrer des effets conformes à ce que l'on veut l'influence en question doit être exercée avec discernement, fermeté et équité, il convient :

7. L'ensemble de ces observations et vérifications expérimentales a été admirablement exposé par M. Sudre dans son *Introduction à la métapsychique*, et dans les *Annales des sciences psychiques* des années 1911 à 1914. De nombreux ouvrages contemporains sur la parapsychologie s'y réfèrent également, relatant d'autres expériences plus récentes.

— En premier lieu, de s'appliquer à gouverner la vie intérieure et son expression la plus apparente : la pensée.

— En second lieu, d'organiser l'élaboration abondante, l'accumulation à haute tension de la vigueur psychique. Cela doit faire l'objet d'un entraînement et d'une application méthodiques.

L'atteinte de ces deux objectifs nécessite un sérieux effort, car elle implique la substitution d'un comportement rigoureusement délibéré à celui que régentaient, depuis des années, divers automatismes que l'on n'arrivera à freiner, puis à se subordonner qu'au prix d'une vigilance et d'une application exceptionnelles. Au lecteur déjà exercé à la mise en pratique des indications de la seconde partie, la tâche sera considérablement plus facile qu'elle ne l'eût été auparavant.

CHAPITRE VIII

La faculté d'isolement

1. Analysez vos pensées

L'habitude de diriger consciemment (en mode réfléchi) votre influence invisible importe encore plus que l'élévation de son potentiel. Cette influence, quelle que soit son intensité actuelle, est certainement suffisante pour déterminer des résultats appréciables et conformes à vos intentions.

Pour arriver à la diriger délibérément, il faut, avant tout, vous efforcer de **gouverner vos pensées.**

Vous êtes-vous jamais demandé quelle était l'origine de celles-ci ? Analysez-les attentivement. Vous vous rendrez compte qu'elles émanent de quatre sources :

— Les unes procèdent purement et simplement de vos réactions viscérales, des exigences organiques, des avidités sensorielles.

— D'autres expriment vos tendances foncières, vos besoins affectifs, le contenu de votre mémoire, votre activité subconsciente et, en particulier, celle de votre sensibilité et de votre imagination.

— Les impressions ou influences extérieures, reçues du dehors (c'est-à-dire de vos semblables ou du climat circonstanciel) font naître en vous certaines pensées.

— Enfin, ce que l'on pense silencieusement à votre sujet, de même que les impondérables qu'attirent vers vous vos dispositions morales (par la voie de l'agent universel dont nous avons parlé) vous affectent à tout instant — jour et nuit — et ont une part appréciable dans l'irruption des idées, les inspirations et nombre de vos conceptions.

L'homme étranger à la culture psychique se trouve ainsi dépendant : loin de gouverner sa vie intérieure, il est mû par ses mécanismes.

Votre première tâche, celle dont nous allons vous tracer les étapes, consiste à discerner les mécanismes en question et à les maîtriser.

Quand vient l'instant de satisfaire le besoin de sommeil — lequel représente vis-à-vis de l'être humain ce qu'est le remontage à la pendule — nombreux sont ceux qu'une hyperidéation incoercible maintient contre leur gré longuement éveillés. Ils parviennent malaisément et parfois n'arrivent point à suspendre le cours de leurs pensées.

L'état de sommeil consiste psychologiquement en un désintérêt de la situation présente. Ainsi que l'a justement dit Bergson, « *dormir c'est se désintéresser* ». On dort dans l'exacte mesure où l'on se désintéresse. Nous avons noté que l'un des premiers symptômes du sommeil ou de l'endormissement, c'est ce désintérêt, cette indifférence qui nous gagne pour tout ce qui nous intéressait auparavant : lecture, travail, soucis... Et c'est sans doute à cette circonstance que l'on doit de renvoyer si facilement au lendemain ce que l'on pourrait ou l'on devrait faire tout de suite (1).

Ce sera pour vous une précieuse possibilité que de pouvoir déclencher volontairement ce désintérêt dans son processus de survenue spontanée. Nous vous mènerons même au-delà de cette possibilité, c'est-à-dire à celle de suspendre intégralement l'activité de la pensée, *à tout instant*.

Cette aptitude une fois acquise (celle de ralentir, de freiner, d'arrêter votre activité psychique) constitue la première des conditions à remplir pour diriger l'influence invisible, l'irradiation du magnétisme personnel.

_____

1. Voir l'ouvrage de Pierre Fluchaire : *Bien dormir pour mieux vivre* (Éditions Dangles).

2. L'isolement

Je n'innove rien, me bornant à réexposer après les avoir repensés et expérimentés les enseignements des maîtres, notamment la pratique suivante. Connue sous différents noms, elle consiste en la recherche d'une suspension volontaire du cours de la pensée. Le meilleur exposé qui en ait été écrit — encore qu'insuffisamment précis — est celui qu'en donne Hector Durville dans son ouvrage *Magnétisme personnel* (2) :

« *L'isolement peut être pratiqué partout ; chez soi comme au dehors, le jour comme la nuit, assis ou couché. Mais, pour le débutant, il vaut mieux se retirer dans une chambre à demi obscure, hors du bruit, pour ne pas s'exposer à être dérangé. Il faut se placer confortablement, assis dans un fauteuil ou, mieux encore, étendu sur une chaise longue ou un lit, les paupières abaissées sans effort sur les globes oculaires et les poings à demi fermés. Là, il faut détendre complètement ses nerfs, relâcher ses muscles de la façon la plus absolue et, dans le plus grand calme, faire un effort mental, d'abord pour attirer à soi les forces du dehors, ensuite pour arrêter l'émission de ses pensées.*

« *La bouche doit être fermée sans que les lèvres soient serrées, et la respiration doit lentement se faire par le nez seulement. Le champ de la conscience doit être entièrement fermé, et il faut repousser, dès qu'elle paraît, toute pensée quelle qu'elle soit ; en un mot ne **penser à rien** (…). Cela est extrêmement difficile, surtout au début, mais lorsque l'on a vaincu toutes les difficultés, l'isolement est l'exercice le plus agréable que l'on puisse faire.*

« *En continuant à développer cette faculté, on parvient à s'isoler assez du monde extérieur pour pouvoir se livrer à cet exercice au milieu du bruit et pendant que les siens vont et viennent autour de soi. Les bruits du dehors, même lorsqu'ils sont intenses, ne sont bientôt plus perçus que très faiblement. La sensibilité diminue de telle façon que si une mouche vient à se poser sur le nez, par exemple, elle ne vous gêne pas et vous ne songez pas à faire le plus petit mouvement pour la chasser. Les membres s'alourdissent ; il semble que vous auriez de la peine à les soulever, et vous restez ainsi avec la plus grande satisfaction.*

---

2. *Op. cit.*

*« Lorsque l'entraînement est encore plus grand, au bout de
8 à 10 minutes d'isolement, on se trouve dans une délicieuse lan-
gueur. On perçoit les bruits du dehors et, chose appréciable, on
les entend à une distance considérablement plus grande que d'habitude. On a conscience que l'on est extériorisé...*

*« Au sortir de cet état qui cesse à peu près instantanément
dès qu'on veut le faire cesser, on est transformé au point de vue
physique. S'il a duré seulement 20 à 25 minutes, on est presque
aussi bien reposé qu'après une nuit d'excellent sommeil. »*

L'auteur signale la difficulté de l'exercice, mais ne s'attarde
pas à analyser les composantes de celle-ci. Extrêmement doué lui-
même, peut-être n'a-t-il pas exactement discerné à quel point l'essai
de la suspension de l'activité mentale était déconcertant pour un
homme ordinaire ? En particulier, il semble laisser supposer que
l'état d'isolement s'obtient après quelques tentatives, sinon
d'emblée. Mes propres observations me permettent de vous dire
qu'en moyenne , *il faut de 100 à 150 essais consciencieux* pour obtenir le résultat intégral !

Nombreux sont ceux qui ont abandonné dès le premier essai
en disant : « *Je n'y arrive pas.* » Plus nombreux encore sont les
imaginatifs qui ont cru se placer dans l'état en question alors qu'ils
ressentaient une vague somnolence, après quelques minutes
d'immobilité.

3. La relaxation

Durant les 10 ou 20 premières séances, je conseille de viser
uniquement l'atteinte d'une relaxation musculaire maximum. Dès
que l'on aura acquis l'habitude d'obtenir aisément et rapidement
une relaxation parfaite tout en restant éveillé, le moment sera venu
de passer à la deuxième étape. Il s'agit non pas uniquement de
demeurer immobile, mais de relâcher le tonus musculaire jusqu'à
un degré minimum de tension. Nous connaissons tous des gens qui
déclarent se sentir aussi fatigués (et même plus fatigués) au réveil,
qu'à l'instant où ils s'endorment. Au cours de leur sommeil ils
demeurent contractés.

Inversement, certains « récupèrent » en un repos nocturne de courte durée, disons 6 à 7 heures, s'éveillent frais, dispos, l'esprit lucide, dans une impression générale de force qui se manifeste par le besoin d'agir, de se dépenser. C'est que leurs nerfs et leurs muscles se relâchent spontanément, d'une manière satisfaisante, dès qu'ils s'endorment. Or, l'aptitude à la relaxation s'acquiert avec de l'application (3).

Il faut disposer de 20 à 30 minutes par jour pour ce genre d'entraînement, s'allonger non pas suivant une horizontale parfaite, mais de manière à ce que le dos, grâce à l'appui de coussins ou d'oreillers, soit surélevé et forme, vis-à-vis des jambes, un angle d'environ 25 centimètres. Les bras seront maintenus écartés, car si on les laisse le long du corps, il y a tendance à prendre appui sur les coudes. Les doigts en demi-flexion, les paupières mi-closes, garder une immobilité dépourvue de la moindre tension ou raideur : celle d'un bloc de mastic mou. « *Tout se détend... tout se relâche, tout s'apaise, tout se décontracte... ma tête repose lourdement, mes mâchoires se desserrent... mon corps devient à chaque seconde plus inerte.* » Cette formule (que chacun peut remanier à son gré) sera répétée mentalement afin d'orienter la pensée vers l'objectif poursuivi. Sa rumination lente et monotone contribuera à maintenir l'immobilité. Elle préviendra l'irruption dans l'esprit de quelque agitation d'où pourraient s'ensuivre de petits mouvements involontaires. Un faible éclairage bleuté favorise considérablement la relaxation.

Après quelques séances, apaisement et inertie se produiront de plus en plus rapidement. Bientôt, en quelques instants un amollissement général envahira l'organisme. On ressentira l'impression d'une sorte de fluidité physique et de tranquillité morale fort profonde, proche du « non-désir » bouddhique (4).

Outre le moment que l'on affectera au cours de la journée à cet exercice, on trouvera avantage à le répéter chaque soir, juste avant le sommeil qu'il facilitera et rendra plus réparateur.

------

3. Voir l'ouvrage de Marcel Rouet : *Relaxation psychosomatique* (Éditions Dangles).
4. Voir l'ouvrage de V.R. Dhiravamsa : *La Voie du non-attachement* (Éditions Dangles).

4. L'étape du ralentissement

Si l'on pratique assidûment, vient le moment où en quelques secondes immobilité et parfaite relaxation s'obtiennent aisément. Le cours de la pensée ne tarde alors pas à marquer un ralentissement que l'on cherchera à favoriser et à maintenir en essayant de garder l'esprit fixé sur l'expression « *rentrer en soi* ». Quand une pensée survient, il faut tâcher de l'éluder, de n'y point accorder d'attention. Résolu à considérer avec indifférence toute image mentale, l'intéressé s'apercevra que ses pensées (dont la succession deviendra de moins en moins rapide) perdront en précision, en acuité et forceront moins l'intérêt.

Dans cet état, réceptif par définition, il est assez fréquent que se manifeste l'écho d'influences télépathiques d'origine connue ou inconnue, que se produisent des éclairs d'intuition et même de clairvoyance (au sens métagnomique du terme).

Comme, d'autre part, la réduction de l'activité du psychisme conscient, laisse se jouer très librement l'activité subconsciente, certaines associations d'idées prendront naissance et plus d'une constituera la solution inattendue de quelque problème théorique ou pratique dont les données obsédaient l'esprit depuis un certain temps.

Cette seconde étape, à laquelle je conseille de consacrer une vingtaine de séances, engendre des résultats secondaires appréciables : amélioration de la mémoire (notamment des « rappels »), facilité accrue pour le travail cérébral, maintien plus aisé et en toutes circonstances d'une sérénité dont on se serait cru incapable. On trouvera moins difficile le fait de se maîtriser en tout.

Enfin, on se sentira moins influençable par les autres, plus confiant, plus équilibré... en un mot plus heureux en raison d'une harmonie intérieure inconnue jusqu'alors, harmonie dont la stabilité ne sera jamais aisément perturbée. Nous n'en sommes pas encore à « l'augmentation de puissance », mais à celle de la résistance non seulement intellectuelle et morale, mais physique ; cela se conçoit, car l'exercice en question favorise la récupération des forces, le jeu des autodéfenses organiques et de tous les mécanismes physiologiques.

Une transformation extérieure s'ensuit. L'expression tranquille et ferme du regard, la clarté du teint, la relaxation des muscles du visage, une meilleure sonorité de la voix, une démarche posée et assurée rendent évidente l'avantageuse modification que l'on détermine en soi-même.

5. Les interruptions de la pensée

Quand les divers résultats décrits au paragraphe 4 deviennent manifestes, l'objectif consiste en la production, au cours de la séance quotidienne, d'une ou plusieurs interruptions (de plus en plus prolongées) du cours de la pensée.

Pour cela, il suffit de continuer à observer les indications des deux paragraphes précédents avec l'intention d'attirer à soi les forces du dehors ce qui, indépendamment d'un réel apport récupérateur, tendra à amorcer d'abord une unité de pensée apaisante, puis à provoquer de véritables coupures du « fil des idées ». Les premières seront extrêmement brèves, si brèves que l'expérimentateur n'en prendra pas conscience mais, après quelques séances, il constatera des interruptions de 30 à 60 secondes.

Le progrès se poursuivra de semaine en semaine mais, certains jours, il ne semblera pas s'accentuer : on aura même l'impression d'obtenir moins que la veille, ce qui serait décourageant si l'on n'était prémuni contre le caractère négligeable de cette irrégularité. Un degré de fatigue — surtout cérébrale — inaccoutumé, une surexcitation éventuelle imputable à quelque cause que ce soit, un souci plus ou moins grave survenant avant l'exercice quotidien suffisent à expliquer que le progrès ne soit pas rectiligne, mais subisse des régressions épisodiques.

Inversement, il peut fort bien arriver que, d'un jour à l'autre, la durée des interruptions absolues passe du simple au double, par exemple de 2 à 4 minutes, simplement parce que l'intéressé (à la faveur de circonstances tranquilles) se trouve à même d'accomplir sa séance dans un état de sérénité favorisant les résultats cherchés.

Sans se laisser déconcerter par l'irrégularité apparente des progrès, le praticien en poursuivra la recherche avec assiduité. C'est ainsi qu'il lui deviendra possible, à force de persévérance, d'obte-

nir, même au cours des séances les moins favorisées, une ou plusieurs interruptions parfaites d'au moins 5 minutes. A ce moment,
la partie sera gagnée, les principales difficultés auront été surmontées.

6. Le vide mental

Toute personne devenue capable de se placer, n'importe
quand, rapidement et aisément dans un état tel que des interruptions de 5 minutes au moins se produisent immanquablement au
cours d'un espace d'une demi-heure, ne tardera pas à connaître
l'état d'isolement intégral. De 5 à 10, puis à 20 minutes, la pensée
suspendra absolument son cours, l'activité de la conscience ne sub-
sistera, comparativement à l'état normal, que comme une très
minuscule veilleuse par rapport à un éclairage intensif. Certains
auteurs ont désigné l'isolement par l'expression assez heureuse de
« vide mental ». Je conseille d'en maintenir habituellement la durée
à environ 30 minutes.

Ainsi l'on acquiert une sûreté, une puissance et une précision
inestimables dans le maniement des freins de l'activité psychique,
moteur de l'énergie d'où émane l'influence invisible. Il devient possible et même aisé de donner à celle-ci une orientation mûrement
préméditée et de la maintenir, surmontant toute impulsion, émotion ou suggestion de nature à faire dévier cette orientation. Apte
à suspendre volontairement le cours de sa pensée, le lecteur saura
interdire à toute représentation mentale inopportune de capter ou
de retenir son attention ; il refusera de laisser subsister en lui-même
des dispositions morales de nature à altérer les propriétés attractives de son magnétisme personnel. Il accueillera exclusivement les
pensées d'activité, de fermeté, d'énergie, de rectitude et d'équité.
Tout sentiment d'animosité ou d'hostilité envers qui que ce soit
lui deviendra étranger et lui semblera, d'ailleurs, aussi puéril qu'un
gaspillage enfantin.

Ainsi, son invisible irradiation judicieusement gouvernée éveil-
lera, sans l'utilisation d'aucun procédé spécial, mais uniquement
par sa qualité — c'est-à-dire par les propriétés inséparables de celle-
ci — des résonances harmonieuses telles que, selon l'expression de

Turnbull « *les bonnes choses viendront d'elles-mêmes à lui* » (inspirations fécondes, influences de bon aloi, relations salutaires et profitables, mais aussi circonstances ou occasions complémentaires de nos aspirations et ambitions).

7. Extériorisation

Si l'on prolonge suffisamment l'état d'isolement, celui-ci évolue vers l'extériorisation. La première impression ressentie par l'expérimentateur est celle d'une perte de contact matériel avec le plan sur lequel repose son corps physique ; il lui semble « flotter » à quelques centimètres de ce plan. L'entité psychique revêtue du double astral a tendance à se dégager lentement de l'enveloppe charnelle, à s'élever horizontalement. Il n'est pas indispensable, ni même nécessaire, en vue du développement magnétique, de s'entraîner au dédoublement. Un tel entraînement nécessite d'ailleurs un temps considérable quand on vise à obtenir ce que les occultistes appellent la *sortie en astral*.

Je crois devoir aviser mes lecteurs que la légère extériorisation qui peut suivre une durée prolongée d'isolement n'a rien d'anormal ni d'inquiétant. Au cours du sommeil naturel, nous nous extériorisons tous plus ou moins (5), inconsciemment. Ce qui serait dangereux, c'est de s'évertuer à atteindre la phase ultime du dédoublement *avant* d'avoir acquis, par le processus indiqué au cours des précédents paragraphes, l'aptitude à suspendre volontairement l'activité mentale. Toutes les méthodes de dédoublement personnel où se trouve passée sous silence la phase préalable présentent de graves dangers. J'ai vu d'imprudents expérimentateurs payer d'un déséquilibre mental incurable leurs tentatives prématurées.

8. Les obstacles à surmonter

Dès l'étape initiale de relaxation, deux obstacles tendent à décourager l'étudiant, bien qu'un peu d'application suffise à les surmonter.

---

5. Certaines manifestations télesthésiques impliquent cette extériorisation.

Le premier, qui se traduit par des mouvements involontaires que l'on n'arrive pas à prévenir, semble narguer celui qui s'essaie à l'immobilité absolue. Ce sont les automatismes subconscients qui se rebellent contre la volonté de l'expérimentateur, cela d'autant plus manifestement que ce dernier, au cours de la vie quotidienne, manque d'empire sur lui-même. C'est d'ailleurs pourquoi, tout au début de ce livre, j'ai insisté sur l'importance du calme. L'agité devrait s'astreindre, plusieurs fois par jour et pendant au moins 5 minutes, à s'immobiliser parfaitement, même sans relaxation parfaite. Essayez de rester 5 minutes assis ou étendu, sans laisser se produire le plus léger mouvement involontaire. A moins d'excellentes prédispositions, vous vous rendrez compte que l'immobilité absolue ne se maintient pas sans une surveillance vigilante, plusieurs fois déjouée au cours de chaque séance, du moins des premières. Cette surveillance irrite, agace certains sujets à un degré susceptible de provoquer une réaction violente, c'est-à-dire l'inverse de l'effet cherché. **Ne cédez pas, ne vous découragez jamais.** Abandonnez la première fois, au bout d'une ou deux minutes si, malgré vous, tête, mains ou jambes ne restent pas en place. Recommencez le lendemain, réitérez l'exercice chaque jour jusqu'à ce que le plus léger mouvement ne se produise pas avant la fin de la séance. Si cet exercice vous est extrêmement difficile, c'est que vous présentez une nervosité anormale dont il vous faut absolument triompher.

Le second obstacle diffère radicalement du premier : sitôt assis ou étendu en vue de s'exercer à la relaxation, certains se trouvent très rapidement envahis par une incoercible envie de dormir, ce qui s'apparente à la narcolepsie ou difficulté de rester éveillé. Faute d'un sommeil nocturne suffisant ou par suite de fatigues excessives, l'immobilité détermine instantanément l'atonie des facultés conscientes. Dès lors, il devient impossible de pratiquer l'isolement, car ce dernier état de « mise en veilleuse » implique le maintien d'un autocontrôle, la présence de la volonté réfléchie, la maîtrise des réactions intérieures par le psychisme conscient.

« *Dès que j'essaie, je m'endors* », m'ont écrit de nombreux correspondants.

Pour parvenir à interrompre délibérément le cours de la pensée, il faut de toute évidence demeurer éveillé. Aussi le moment de la journée qui convient le mieux à cette pratique est-il celui où l'on se sent particulièrement actif, psychiquement parlant. Encore reste-t-il indispensable de régulariser le repos nocturne : huit heures de sommeil sont indispensables mais suffisantes à la plupart d'entre nous, j'entends à ceux dont l'activité ne comporte ni surmenage, ni excès d'aucune sorte.

Si l'on dispose de larges loisirs, une heure d'abandon à un sommeil qu'interrompra le réveille-matin, au cours de la journée, facilitera l'entraînement.

9. Importance de la maîtrise intérieure

La maîtrise de soi *extérieure* (par exemple celle du regard, de la parole et, généralement parlant, du comportement) présente un avantage dont l'évidence s'impose à tous. Avec la pratique de l'isolement, c'est la maîtrise *intérieure* que l'on acquiert. Elle régularise l'émotivité, l'impulsivité, l'imagination et constitue, selon moi, un moyen thérapeutique souverain contre de nombreuses névroses, efficace même contre certains troubles organiques.

Au surplus, la possibilité de se rendre maître du flux de la pensée au point de l'interrompre à volonté rend accessible le pouvoir de concentrer volontairement l'esprit, d'une manière prolongée sur n'importe quel sujet, et en particulier sur la représentation mentale de telle influence que l'on désire exercer ou de tel résultat auquel on aspire. Le lecteur sait déjà quels effets peut déterminer la concentration.

La maîtrise *intérieure* est, au surplus, indispensable à l'obtention de ce qui se désigne par l'expression « augmentation de puissance », ou élévation de la tension d'extériorisation magnétique, des propriétés attractives et dominatrices de l'influence invisible individuelle.

CHAPITRE IX

Comment augmenter
votre puissance

1. Les conditions préalables

A ce point du livre, il apparaît que l'ensemble de ce qui précède s'articule comme avec une charnière avec ce qui va suivre.
Nous allons en effet étudier de nouveaux aspects de la question,
très distincts des premiers éléments. Il serait souhaitable qu'en abor-
dant les perspectives qui vont s'ouvrir maintenant devant lui, le
lecteur ait fixé dans sa mémoire, avec la plus grande précision possible, la substance des huit premiers chapitres. Leur mise en pratique ou, plus exactement, l'habitude de les mettre en pratique,
permet de satisfaire aux six conditions fondamentales de l'intensification des énergies psychiques, à savoir :

— Éliminer de la vie intérieure tout ce qui produisait dans
son influence externe des répercussions défavorables.

— Coordonner l'activité mentale en lui donnant une orientation bien définie vers l'obtention d'un objectif principal, maintenu au premier plan des préoccupations. Tout nouvel objectif
secondaire devra rester subordonné à la réalisation de l'objectif
principal.

— Dominer toute tentation ou influence contraire au plan de
vie arrêté et défini.

— Se placer en état d'attraction des influences (humaines ou
impondérables) susceptibles de favoriser l'obtention du but fixé.

— Maîtriser avantageusement et harmonieusement son irradiation magnétique, sous tous les rapports.

— Acquérir l'habitude de gouverner sa pensée, de s'autosurveiller, de se contrôler.

Ces conditions préalables sont indispensables pour tirer parti des disciplines permettant d'augmenter la puissance de son magnétisme personnel (ce qui rend plus rapides et plus amples ses propriétés *attractives*), puis de mettre judicieusement en action ses propriétés *dominatrices.*

Certains liront ce livre par simple curiosité ; d'autres se complairont à l'exposé d'une thèse imprégnée de « merveilleux ». Pour un petit nombre, il sera une révélation explicative de faits dont l'observation les intriguait jusqu'à présent. Ceux-là, prenant conscience des possibilités qui sommeillent en eux, se mettront sans hésiter à la tâche, pleins d'enthousiasme. Ils ne tarderont pas à obtenir des résultats concrets en vérifiant expérimentalement nos affirmations.

A ces derniers, je conseille un cheminement *méthodique* : d'abord relire et bien s'imprégner des notions déjà étudiées avant de passer à la suite.

2. Formation de l'énergie psychique

Deux sources principales président à l'influence invisible : la principale est d'origine purement psychique (nous l'avons déjà démontré), l'autre est d'origine purement physiologique, à savoir l'élaboration de l'influx nerveux par la nutrition et la respiration.

En ce qui concerne la nutrition, je rappelle sommairement qu'une alimentation saine et équilibrée, sans abus d'aucune sorte, sans produits toxiques, est à la base de l'équilibre physique et psychique. « *Que l'aliment soit ton seul médecin* », disait Hippocrate. De nombreux guides de diététique vous aideront dans ce domaine, sans qu'il soit besoin de nous étendre plus ici sur ce sujet.

Quant à la respiration, vue sous l'angle du magnétisme personnel, son importance est si grande que tous les traités et cours lui consacrent une large place et insistent sur les « exercices respiratoires ». Voici, par Hector Durville (1), le type d'exercice généralement conseillé :

« *Étant confortablement étendu sur le dos, soit au lit, soit sur une chaise longue, desserré et bien à son aise, il faut d'abord détendre ses membres, relâcher ses muscles et chercher à se dégager le plus possible de ses liens physiques. Ensuite, porter toute son attention sur la respiration que je divise en trois temps : l'inspiration, un temps d'arrêt pendant lequel on conserve son souffle, et l'expiration. L'inspiration doit se faire très lentement, en élevant progressivement la poitrine et l'abdomen, comme pour les ouvrir et permettre à l'air d'y pénétrer plus profondément et en plus grande quantité. Lorsqu'on ne peut plus inspirer, on s'arrête pour retenir son souffle aussi longtemps que possible ; lorsqu'on ne peut plus le retenir, on expire lentement, en abaissant la poitrine et l'abdomen, comme pour chasser tout l'air qu'ils contiennent ou pourraient contenir.* »

Il faut donc, selon l'auteur précité, s'entraîner à augmenter la durée de l'inspiration et de l'expiration, ainsi que le nombre des inspirations complètes sans se reposer. Cette méthode *statique* vise à l'augmentation de la capacité thoracique par des inspirations en position horizontale, dirigées, prolongées et interrompues volontairement (disons même « artificiellement »).

Mes propres vues sur la rééducation respiratoire sont sensiblement différentes. Personnellement, je suis un fervent partisan de l'**exercice** et du **mouvement.** On acquiert ainsi une amplitude respiratoire constante, bien répartie, spontanée et non provoquée. Je conseille d'abord à chacun de faire évaluer sa capacité thoracique afin de voir si elle est normale. Ensuite, au cours d'une période de quelques mois, consacrez chaque jour le temps nécessaire pour un programme de remusculation pectorale et respiratoire (2). Selon nous, c'est à l'effort musculaire et non à l'effort mental qu'il faut recourir, pour faire « travailler » durablement les mécanismes pul-

---

1. *Op. cit.*
2. Nous vous conseillons l'excellent ouvrage du docteur René Lacroix : *Savoir respirer pour mieux vivre* (Éditions Dangles), qui comporte tout un programme journalier de rééducation respiratoire.

monaires. Une inspiration profonde, effectuée simultanément avec un mouvement qui l'induise, a tous les avantages par rapport à une même inspiration pratiquée dans l'immobilité (3).

Certaines sectes orientales imposent à leurs adeptes, en vue de pouvoir soumettre à leur volonté leurs fonctions respiratoires, un entraînement quotidien prolongé au cours duquel ils s'efforcent à des inspirations forcées, à un temps de rétention de l'air dans les poumons, suivi d'une expiration forcée puis d'un moment de suspension du souffle. Le plus clair résultat de cette pratique, le voici : après quelques semaines, dès que cessent l'heure (ou les heures) d'exercice journalier, *dès que la volonté suspend son action,* le rythme pulmonaire se ralentit et son amplitude baisse considérablement, car les mécanismes normaux, réflexes et automatiques ne reprennent que difficilement et insuffisamment leur activité après une période où celle-ci leur a été, pour ainsi dire, soustraite. En bref, ces mécanismes s'atrophient.

Les 4 à 5 litres de capacité thoracique indispensables à celui qui veut favoriser en lui-même l'élaboration de l'influx nerveux, c'est à l'aide de l'**effort musculaire** qu'il faut les conquérir et les maintenir.

Les méthodes orientales — d'où dérivent vraisemblablement les exercices de « respiration profonde » effectués dans l'immobilité et dont il a été question plus haut — visent à puiser dans l'air inspiré une force subtile dénommée « pranâ » et à la fixer dans l'organisme.

L'ésotérisme occidental admet également que l'atmosphère terrestre, interpénétrée par l'agent universel déjà connu du lecteur, l'est aussi par d'autres agents plus subtils, notamment celui que Stanislas de Guaïta désigne par l'expression : « *vie non différenciée* ». Quand, à force de pratique, on arrive à exécuter automatiquement les mouvements classiques de la séance quotidienne de culture physique, il suffit de maintenir dans le champ de la pensée

---

3. Si vous voulez vous en rendre compte immédiatement, renversez votre tête en arrière en inspirant puis, en expirant, penchez votre menton vers votre thorax ; vous constaterez que l'amplitude de chacun des deux temps respiratoires se trouve accrue, à l'aide d'un mouvement très simple.

l'intention d'attirer et de fixer en soi l'énergie vitale inséparable de l'air pur, pour s'en imprégner. Le mouvement favorise cette absorption mieux que la station allongée. Cependant, les faibles, les convalescents, les surmenés et généralement tous ceux pour lesquels le travail musculaire se trouve contre-indiqué peuvent, dès qu'ils ont acquis la possibilité de « mettre en veilleuse » leur activité mentale (voir chap. VIII), tirer de la respiration normale le réconfort apporté par un afflux de « *vie non différenciée* ». Pour cela, ils s'étendront sous une fenêtre largement ouverte, et adresseront un appel mental aux forces vitalisantes du dehors. Deux ou trois fois par minute, une élévation des bras parallèlement au corps et à la tête suffira à amorcer de profondes inspirations, sans la moindre fatigue. Au cours de chacune, l'appel mental sera renouvelé. On imaginera l'apport (par les narines) d'énergies invisibles et puissantes, leurs effets toniques, plus particulièrement ceux que l'on désire.

L'observation des principes d'hygiène alimentaire et de ceux qui assurent une large et permanente amplitude respiratoire a, sur le psychisme, un retentissement considérable, ne serait-ce que par la suppression de l'entrave qu'inflige à son activité l'insuffisance ou l'irrégularité de l'influx nerveux. Si la force engendrée par l'ardeur de la vie psychique doit être considérée comme l'agent principal de l'influence magnétique, la surabondance de l'influx nerveux et sa subordination à la volonté jouent un rôle capital dans son degré de tension d'extériorisation.

Ce n'est pas tout : supposons un homme à la fois doué d'une ardeur intérieure exceptionnelle et d'une structure telle qu'en 24 heures, il s'élabore en lui un « ampérage » considérable d'influx nerveux, sa tension d'extériorisation (en d'autres termes la puissance attractive et dominatrice de son magnétisme personnel) n'engendrera de fortes et rapides répercussions que s'il met un terme à toutes les déperditions auxquelles le prédisposent ses spontanéités. C'est précisément par la suppression de ces déperditions qu'il accumulera à haute tension, l'énergie nécessaire au magnétisme personnel.

*
* *

3. Mode passif et mode actif

Dès que s'élève la tension magnétique, il suffit (les six conditions énumérées précédemment étant satisfaites) de donner à ses pensées habituelles une orientation bien conçue pour attirer à soi, sans faire quoi que ce soit de spécial pour cela, tout ce dont l'obtention peut contribuer à l'harmonie de l'existence et pour éloigner tout ce qui pourrait l'altérer.

Chacun attire les complémentarismes de ses avidités ou aspirations, cela en fonction de son « tirant d'eau », c'est-à-dire de son ouverture d'esprit, de ses aptitudes, et de son ardeur convoitante. C'est ainsi qu'un érudit à la recherche de documents rares se trouvera « par hasard » mis en leur possession ou à même de les consulter, qu'un commerçant verra s'accroître sa clientèle, qu'un jeune homme désireux d'accéder à telle situation obtiendra les appuis nécessaires à son introduction dans la place, qu'un financier attirera les personnes et les circonstances indispensables pour réaliser le volume d'affaires représentatif de l'ultime niveau de ses ambitions.

Ce mode d'action, qu'Hector Durville a nommé *méthode passive,* a l'avantage de laisser un parfait équilibre subsister entre l'intéressé et l'ensemble de ce qui peut lui être salutaire, de lui éviter tout surmenage psychique ; il obtiendra ainsi ce qui est préférable pour sa personnalité, notamment des choses auxquelles il n'aurait pas songé.

La *méthode active* consiste à s'efforcer de diriger l'influence magnétique exclusivement sur telle ou telle personne, en vue d'obtenir tel ou tel résultat, tel avantage déterminé. Elle a deux inconvénients : d'une part la dépense considérable de temps et d'énergie qu'exigent ses procédés et, d'autre part, son manque d'homogénéité, car si l'on utilise un très important « voltage » psychique en vue d'*un* ordre de satisfactions, un abaissement de potentiel s'ensuit pour ce qui concerne l'attirance de toutes les autres aspirations. Le recours exceptionnel au mode actif, s'il est équitablement et raisonnablement justifié, n'a pas d'inconvénients pour ceux qui sont assez exercés : ce sera une période de surentraînement progressif favorable au développement de la concentration, de l'aptitude à vouloir et à accomplir méthodiquement un effort au-dessus de la moyenne.

Il semble utile de noter que nous recommandons de concevoir et de maintenir dans l'esprit les résultats que l'on désire obtenir, *sans spécifier* par le truchement de qui, ou à la faveur de quelles circonstances on les obtiendra. L'avidité d'un certain ordre de satisfaction engendre un attrait d'autant plus rapidement suivi d'effet que nous laissons toutes les portes, toutes les voies ouvertes à ce que nous attendons.

4. La rétention de l'énergie psychique

« *Vous n'avez peut-être jamais songé,* dit Turnbull (4), *que vous êtes vous-même une sorte de batterie électrique, recevant et envoyant des courants de force, des courants d'attraction et de répulsion, quelquefois délibérément, par exemple quand vous vous efforcez d'inculquer quelque chose à quelqu'un ; d'autres fois inconsciemment, quand vous faites bonne ou mauvaise impression à une personne sur laquelle vous n'avez jeté qu'un simple regard.* »

Le même auteur dit plus loin que le désir sous toutes ses formes est la manifestation d'une force identique à celle d'où procède votre influence. Tout désir ne correspondant pas à quelque chose d'indispensable et auquel vous cédez donne lieu à une baisse de votre potentiel attractif. Inversement, tout désir réprimé, toute impulsion à laquelle vous résistez — que vous contenez — constitue une rétention en vous-même de la force attractive.

La rétention est indispensable à l'accumulation de l'énergie psychique et, dès que cette accumulation atteint un certain niveau, sa tension d'extériorisation engendre un attrait extrêmement puissant sur les personnes à qui vous avez affaire et sur les choses que vous aimeriez obtenir.

« *Lorsque vous vous êtes rendu compte,* écrit Turnbull, *que vous pouvez tirer du désir sous toutes ses formes l'avantage de retenir en vous le dynamisme psychique qu'il représente, vous avez*

---

4. Turnbull : *Cours de magnétisme personnel* (épuisé).

découvert, pour ainsi dire, une mine d'or dans votre jardin, car le désir se manifeste continuellement sous de multiples formes. Lorsque vous lui cédez, vous donnez lieu à une déperdition de force et vous affaiblissez en conséquence votre puissance attractive. Chacun se trouve journellement emporté — s'il ne résiste — par de nombreuses impulsions dont les plus fréquentes sont l'expansivité, l'impatience, la colère, la prodigalité, la sensualité. Certaines procèdent de la vanité, particulièrement dangereuse car, sous des formes infiniment variées elle présente un caractère tellement insidieux, qu'à moins d'une vigilance exemplaire, on lui donne cours avant même de s'en rendre compte. »

L'auteur nous engage donc à refuser de satisfaire le désir, car nous évitons ainsi l'extériorisation d'une ou plusieurs unités de force mentale. A quels désirs fait-il allusion ?

— à ceux dont l'assouvissement ne peut qu'être funeste ;

— à ceux qui ont trait à quelque chose d'inutile ou de vain ;

— à ceux qui nous soustraient de l'énergie, cette énergie si précieuse pour la mise à exécution des tâches nécessaires à l'atteinte de notre principal objectif.

Il suffit de mettre à exécution ces prescriptions *pendant seulement 8 jours* pour vérifier leur valeur. Une accumulation énergétique s'ensuit, laquelle équivaut, positivement, à la recharge de notre « batterie psychique ». La confiance en soi s'affirme, l'assurance augmente, l'influence personnelle visible devient plus puissante, l'esprit prend une lucidité nouvelle, l'effort semble plus léger. Ceux qui nous entourent changent d'attitude à notre égard : ils se conforment spontanément à ce que nous voulons obtenir d'eux ; même si nous gardons le silence, ils se montrent plus dociles, plus empressés et nous témoignent une considération et une confiance jusqu'alors plus faible, sinon inexistante. Tels sont les effets de l'état attractif, acquis par la présence intérieure d'un magnétisme à tension élevée. Cette expérience ne décevra aucun de ceux qui en réaliseront les conditions.

Dans les circonstances les plus décourageantes, dans les pires épreuves, au moment où quelque grave échec, quelque déconvenue, engendre une dépression périlleuse, ayez recours à la rétention ; un changement favorable ne tardera pas à survenir. Souvent, en quelques jours, la situation sera retournée.

5. Maîtrise du verbe

Vous rendez-vous compte de l'énorme gaspillage d'énergie psychique que représentent les paroles inutiles prononcées au cours d'une journée par l'immense majorité des gens ? Parler, même utilement, engendre une fatigue, particulièrement connue des orateurs et conférenciers qui, pendant une ou plusieurs heures, assument la tâche de fixer l'attention d'un public. Réprimer toute tendance à l'expansivité, ne pas céder à l'impulsion de dire quoi que ce soit d'inutile, s'efforcer de se montrer clair, précis et laconique dans ce que nous avons à dire, c'est éviter une déperdition d'énergie, donc élever et renforcer la puissance attractive de notre magnétisme personnel. Plus vous resterez concis et réservé, plus vos semblables se sentiront attirés vers vous.

Pour faire comprendre à quel point l'impulsion à parler s'avère désastreuse au point de vue magnétique, Turnbull prend un exemple, simpliste, mais éloquent : « *Le désir de communiquer une nouvelle à une personne de votre connaissance recèle assez de puissance pour vous faire prendre une voiture et vous précipiter à sa rencontre coûte que coûte. Lorsque vous avez connaissance d'une information, si banale qu'elle semble et malgré le plaisir que vous auriez à en faire part à qui que ce soit, gardez le silence. Cela contribuera, dans une mesure appréciable, au renforcement de votre puissance attractive.* »

La mise en pratique continuelle de cette recommandation suffirait, à elle seule, à changer la condition psychique d'un homme : fut-il répulsif, il deviendrait rapidement attractif.

On pourrait penser que la maîtrise du verbe et l'abstention de toute expansivité, de tout exposé de confidences implique de l'insociabilité. Il n'en est rien ; chacun aime parler plus qu'il n'aime écouter. Chacun se soucie de lui infiniment plus que d'autrui. Sachez écouter et même inciter les autres à s'étendre sur leurs sujets préférés. Restez sobre, quoique bienveillant, dans vos commentaires. Donnez à votre interlocuteur l'impression qu'il vous intéresse profondément. Laissez-le faire étalage de son savoir, de ses conceptions, voire de ses griefs. Vous lui laisserez à votre endroit un sentiment de sympathie. Sachez qu'il a joué vis-à-vis de vous, sans s'en douter, le rôle d'un pôle négatif vis-à-vis du positif : il a extériorisé à votre profit un certain nombre d'unités de force magnétique qui sont allées de lui en vous, parce qu'il se dépensait impulsivement tandis que vous demeuriez de sang-froid, calme, recueilli, attentif, réservé, donc réceptif.

6. L'approbativité

Toute parole, manœuvre ou comportement inspirés par le désir d'obtenir une marque d'admiration, de produire une impression de supériorité, de surprendre, de déclencher quelque flatterie, louange ou acquiescement relève de l'*approbativité*. Celle-ci doit être considérée comme l'expression d'un état psychique négatif puisqu'elle équivaut à l'acceptation d'une dépendance. En fait, la vanité subordonne celui qui ne la réprime pas à l'influence des autres : il la recherche et se dépense — souvent en pure perte — en quête d'une satisfaction négative : celle de s'entendre approuver. Quand je dis « il se dépense », j'entends qu'il consent à l'affaiblissement de ses réserves psychonerveuses et à la pire espèce de sujétion qui soit. Les déperditions qu'entraîne l'approbativité abaissent à la fois la tension psychique et le degré d'acuité des facultés cérébrales : elles amènent l'homme à parler et à agir contrairement à son intérêt, à son jugement, à sa raison.

Que votre propre approbation — justifiée, bien entendu — soit la seule qui compte à vos yeux vis-à-vis de vous-même. Ainsi que le dit C. R. Sadler (5) : « *Il importe non pas de gagner mais de mériter la considération des autres. Vous ressentirez même, le cas échéant, une satisfaction très profonde à vous savoir supérieur à l'opinion que le monde, en général, se fait de vous et vous dédaignerez de chercher à rehausser cette opinion.* »

L'indépendance matérielle est appréciable ; l'indépendance mentale l'est infiniment plus. Elle favorise en vous-même un état de concentration, de densité et de fermeté. Du jour où vous cesserez de vous soucier de l'approbation, ce seront les autres qui cour-

---

5. *Op. cit.*

ront après la vôtre. Ne parlant jamais de vous, ne confiant à personne vos conceptions, avidités, aspirations ou aversions, ni surtout vos ennuis ou griefs, vous représenterez pour tous une énigme, un mystère. Ils s'efforceront de gagner votre sympathie, de se montrer agréables ou utiles envers vous. Ils rechercheront votre compagnie, vous témoigneront de l'empressement.

Manifestez à chacun la plus parfaite courtoisie sans vous laisser induire à la moindre expansivité : **demeurez impénétrable.** Si vos principaux objectifs — ceux dont nous avons parlé au chapitre VII — demeurent constamment au premier plan de vos pensées, vous mettrez aisément de la distance entre vous et tout ce qui est vain ou prétentieux. Vous sachant irréprochable, du moins pour l'essentiel, vous ne vous soucierez d'aucune critique ni de ceux qui les exprimeraient : ayant compris le mécanisme psychique, vous savez que les médisants attirent à eux des influences plus ou moins désorganisatrices. Dans votre for intérieur vous déplorerez leurs errements.

L'orgueil — péché capital, disent les théologiens — diffère de la vanité en ceci : il se suffit à lui-même avec la plus parfaite indifférence à toute approbation. Il constitue une puissante source d'énergie psychique, mais aussi d'aveuglement car il inspire presque toujours une périlleuse surestimation de soi-même. Mieux vaut évaluer lucidement ses aptitudes, possibilités et limites pour ne concevoir que de justes prétentions. Entreprendre d'élargir aptitudes, possibilités ou limites, devenir capable de ce dont on ne se sent pas actuellement à même d'entreprendre et de mener à bien, cela par une application assidue, voilà ce que nous conseillons.

« *Soyez roi dans vos rêves* », écrivit jadis Andrew Carnegie dans son livre *l'Empire des affaires* où il incitait le plus modeste subalterne à envisager de vastes desseins. Or, il n'est pas d'ambition sans orgueil. Nous ne pouvons pas tous devenir des « rois » — des magnats au sens où Carnegie entendait le mot roi — mais il n'est pas un homme qui ne puisse, par l'initiative et l'entraînement, atteindre un degré de capacité bien au-delà de la moyenne, puis s'élever fort au-dessus de son niveau primitif (culturel, matériel et social). La vanité disperse, l'orgueil condense. L'une affaiblit, l'autre fortifie d'autant plus sûrement qu'il demeure secret, ne s'exprime ni par de l'arrogance, ni par quoi que ce soit d'altier ou de visiblement dédaigneux, mais par une ardeur intérieure constamment animatrice d'efforts orientés vers l'atteinte de quelque sommet.

Propulsé par une ambition de bon aloi, nul n'hésitera, s'il le faut, à jeter par-dessus bord tout souci de « décorum », toute vanité. Qu'il soit amené à accepter, pour un certain temps, des tâches ou un rôle dont un autre rougirait, qu'il trouverait « au-dessous de lui », l'homme équilibré et lucide n'y verra qu'une étape à franchir sur le chemin qui mène au succès. Si sa tenue, ses vêtements de travail, la matérialité de ses besognes lui attirent des regards méprisants ou des réflexions ironiques, il n'y prêtera pas la moindre attention.

Sylvain Roudès cite plusieurs exemples de personnalités dont les débuts furent extraordinairement humbles et pénibles. En particulier, il retrace la carrière d'un célèbre commerçant londonien qui s'illustra sous le nom d'*Universal Provider,* titre que personne ne lui contesta car il fut, pendant des années, à même de satisfaire toute demande, si extraordinaire soit-elle, de fournir n'importe quelle sorte d'objet existant dans le monde. Ce que l'on ne trouvait nulle part, c'était chez lui qu'on le commandait. Sa grande idée lui vint alors que, chiffonnier, il acquit en observant et en réfléchissant, un savoir toujours plus étendu sur la production et la consommation, l'origine de tout ce qui s'échange sur le globe et les sources d'approvisionnement relatives à tous les besoins. Au cours d'une seconde étape, devenu capable d'acheter avec discernement et de trouver un débouché pour n'importe quelle marchandise, même à l'état de déchet, il se fit chineur puis soldeur. Enfin, il put s'établir avec un modeste capital de 680 livres sterling, péniblement économisé. Donnant à sa firme le titre original cité plus haut, il eut d'emblée une clientèle aussi nombreuse que lucrative, car il évitait à tous des recherches plus ou moins laborieuses, des tâtonnements, des pertes de temps, des incertitudes et des déconvenues.

Voilà une belle illustration de ce que peut l'ambition dont nulle vanité n'entrave l'essor, une preuve que même ceux que les hasards de la naissance ont situés au plus modeste niveau de l'échelle sociale gardent la possibilité d'aller de l'avant et de se frayer, sans nuire à qui que ce soit, une route bien personnelle vers de meilleures situations. Nous sommes loin du personnage toujours en quête d'approbation, car ce dernier, incapable de pensées profondes, fortes et originales, ne saurait s'isoler de l'influence d'autrui et tenir son esprit axé et projeté vers une réalisation de longue haleine.

L'éducation — au sens conventionnel du mot — ne prémunit pas contre la vanité dont elle tend, au contraire, à favoriser l'épanouissement, par l'importance qu'elle laisse se perpétuer dans la mentalité humaine pour d'innombrables vétilles. Elle encourage le conformisme plus que l'objectivité et se soucie d'extériorité plus que de valeur intrinsèque. Si, dans le passé et jusqu'à ce jour le caractère inférieur, les effets désastreux de l'approbativité vous étaient inconnus, ne vous adressez pas le moindre reproche, ne ruminez pas le tort que ce manque d'une notion capitale a pu vous causer. Entreprenez tout de suite de tirer parti de ce qui vient de vous être enseigné. Ne croyez pas que l'on se réforme en un jour, mais soyez sûr qu'au prix d'une autosurveillance soutenue, vous substituerez assez rapidement à l'ancienne tendance une indifférence absolue pour l'opinion environnante.

7. Effets rapides de l'accumulation

L'augmentation de la puissance d'attrait dans tous ses modes et l'affermissement des qualifications morales que vient renforcer la « tension psychique », apparaissent d'autant plus rapidement que l'observation des indications exposées aux paragraphes précédents est plus stricte. L'intéressé ne tarde pas à s'apercevoir que, même physiquement, il se sent plus fort, plus résistant. S'il lui faut s'imposer un effort musculaire inhabituel, il ressent moins de fatigue qu'avant de pratiquer la culture psychique.

Au cours de la vie quotidienne, il se rend compte chaque fois qu'il souhaite de quelqu'un une attitude, un acte, un comportement ou un accord favorables à ses propres affaires ou aux fonctions qu'il remplit, satisfaction lui est donnée, au moins dans une certaine mesure. Ce dont il ressent l'ardeur convoitante influe positivement sur ceux desquels dépend l'obtention de ce qu'il veut. Sa pensée se transmet fréquemment, même s'il ne cherche pas à en déterminer la répercussion. Ainsi arrivera-t-il que telle ou telle de ses représentations mentales, même fugitive, ait un écho, suivi de quelque conséquence matérielle (lettres, visite, rencontre). A ses plus fortes préoccupations, répondent, pour ainsi dire, des inspirations, des allégements, des solutions et souvent une aide extérieure que rien ne laissait présager. Il se trouve mis en rapport — en apparence fortuitement — avec des personnes disposées à pourvoir à la réalisation de ses vues de moyens complémentaires des siens.

Inversement, si quelque désagrément se profile à l'horizon, pour peu qu'il maintienne dans le cours de ses pensées, vis-à-vis du sujet de cette contrariété un sentiment précis d'aversion, une influence neutralisatrice s'extériorise de son psychisme et tend à dissiper, sinon instantanément mais en peu de temps, l'état de choses représenté par le désagrément en question. Dans le même ordre d'idées, si dans votre entourage quelqu'un paraît disposé à accomplir quoi que ce soit qui vous déplaise, ne perdez pas de vue que votre principal moyen d'action pour amener une renonciation ou un changement d'intention réside dans votre influence invisible. Sachez écouter tranquillement, comme si vous ne vous sentiez pas affecté, la nouvelle que l'on vous communique. N'argumentez que le moins possible, avec plus de laconisme que d'animation. Tâchez qu'un délai soit admis mais ne proférez pas de réprobation catégorique, ce qui alimenterait neuf fois sur dix les dispositions et décisions du sujet.

Comme pour toute autre perspective désagréable, laissez agir vos forces mentales, non pas en mode impérieux, mais simplement en réfléchissant paisiblement à ce qui semble se préparer et à l'exagération du contentement que le sujet s'imagine en tirer. Son enthousiasme s'en ressentira. Bientôt, ses propres pensées, influencées par la vôtre, comporteront des hésitations, des atermoiements, lesquels ouvriront une issue à d'autres éléments freinateurs surgis de son subconscient ou venus du dehors. Des objections s'élaboreront en lui. Ses projets s'émousseront d'eux-mêmes et vous assisterez à leur désagrégation ou à leur transformation.

L'observation résolue des indications relatives à la suppression des déperditions de force psychique équivaut à l'exercice d'un contrôle réfléchi sur *tous* les automatismes dont certains, particulièrement impérieux, sont à la base des habitudes de toute nature, surtout de celles dont l'origine se situe dans un passé lointain. Se propose-t-on de surmonter une habitude en particulier ? La partie est inégale dans la lutte qui commence et la précarité des efforts accomplis se perpétue tant que l'on ne se résout pas à placer l'automatisme dans son ensemble — c'est-à-dire *toutes* les habitudes, non pas une seule — sous la domination de la volonté délibérée. C'est pourquoi les prescriptions données aux paragraphes 4, 5 et 6 importent à tous ceux dont une habitude plus ou moins dangereuse altère la santé, les moyens d'action ou les ressources. Supposons un cas d'alcoolisme, d'auto-érotisme ou même de toxicomanie. Il sera bien plus facile de dissocier l'automatisme qui le caractérise si l'intéressé résiste à toutes ses autres impulsions, notamment à celles dont nous avons parlé à propos de la *rétention,* de la *maîtrise du verbe* et de *l'approbativité.*

Quand un homme se montre capable de renoncer, du jour au lendemain et définitivement, à une habitude (celle de fumer, par exemple), c'est qu'il est parvenu à dominer ses impulsivités de toute nature, à délibérer ses paroles et ses actes. Il possède ce que l'on nomme la maîtrise de soi-même. Chez lui, la raison l'emporte sur les instincts, l'émotivité et l'imagination.

L'autosuggestion engendre des résultats extraordinairement rapides et caractéristiques chez ceux dont la « tension psychique par accumulation » atteint un degré satisfaisant. Elle devient alors un agent régularisateur ou autocuratif d'une efficacité surprenante. On sait que, par l'intermédiaire de l'inconscient, l'autosuggestion actionne le système nerveux neurovégétatif. L'impulsion ainsi donnée prend une force irrésistible quand elle émane d'une pensée forte et soutenue, disposant d'une surabondance d'influx nerveux. Nous voilà loin du système consistant à répéter avec monotonie une formule littérale, si ingénieuse soit-elle. D'ailleurs, comment attendrait-on d'un psychisme atone (à basse tension) une influence de quelque importance ?

Cette dernière réflexion mérite l'attention des thérapeutes désignés par le terme de « guérisseurs ». Les plus doués d'entre eux n'obtiendraient pas les cures quasi miraculeuses dont personne n'ignore la réalité, s'ils n'extériorisaient, indépendamment du magnétisme physiologique, un magnétisme *psychique* intense. C'est principalement de ce dernier que les procédés visibles (passes, applications, imposition des mains, suggestion verbale) tirent leur pouvoir curatif. Un très généreux magnétisme animal, dirigé selon une technique précise (6), peut à lui seul soulager et même guérir, car il équivaut alors à une transfusion vitale, équilibrante par définition. Il suffit rarement, *s'il ne s'accompagne d'une intense irradiation psychique,* à triompher de profondes entités pathologiques, autrement dit à réussir dans des cas désespérés.

Un authentique et savant docteur en médecine, comparativement à un confrère de même valeur mais dont l'ardeur intérieure est moins intense, obtient des guérisons que le second n'arrive pas à produire. Dès ses premiers mois d'exercice, il voit venir à lui une clientèle plus nombreuse que l'autre, simplement parce qu'il a plus d'*attrait.* Cette dernière observation s'applique à n'importe quelle profession libérale. Sans une réelle compétence, sans une valeur technique sérieuse, on ne saurait escompter le succès, car le magnétisme personnel ne supplée pas aux insuffisances ; mais sans un puissant magnétisme personnel, compétence et valeur sont rarement appréciés comme ils le mériteraient.

Que ceux dont le succès tarde alors que leurs capacités le justifieraient tirent parti de ces possibilités d'augmentation (par accumulation) d'influx psychique ; dès qu'ils en auront concrètement vérifié les premiers effets, la certitude de pouvoir obtenir rapidement de plus amples résultats soutiendra leurs efforts quotidiens. La barrière semblait infranchissable ; une simple brèche en assurera l'écroulement.

Si la simplicité apparente des procédés que nous indiquons heurte les conceptions de certains esprits rationalistes et « scientifiques », qu'ils veuillent bien suspendre leur jugement définitif et ne porter d'appréciation qu'après avoir loyalement tenté, pendant environ un mois, la mise en pratique de ce chapitre.

---

6. Voir, de Michel Nicole (magnétiseur) : *Initiation au magnétisme curatif* (Éditions Dangles).

8. Maîtrisez votre emploi du temps

La maîtrise de votre « programme de vie » participe à l'élévation du potentiel de votre « batterie » psychique. L'application la plus attentive à ce qui est obligatoire (si peu attrayant que soit le travail à exécuter ou la tâche à remplir) est plus facile à observer que les règles relatives à l'emploi du temps libre.

Le principal écueil à éviter consiste en l'absence d'un programme bien défini à l'avance de ces moments dont on peut disposer à son gré, car on court ainsi le risque de se laisser dériver par les autres ou par les circonstances. Si vous tenez à fortifier la puissance et la résistance de votre influx psychique, il faut vous réserver l'entière initiative dans l'organisation de vos loisirs. Par exemple, vous avez décidé de consacrer telle soirée (ou tel jour férié) à la lecture, au sport ou à un délassement de votre choix. S'il arrive — et cela est fréquent — que vous soyez sollicité pour autre chose d'imprévu (visite, réunion, voyage...), vous avez là une splendide occasion de réprimer cette passivité qui, autrefois, vous prédisposait à céder aux suggestions venues de l'extérieur au lieu d'agir selon votre volonté.

Tous, nous manquons de temps pour quantité de choses qui nous intéressent, et dont certaines nous seraient d'un bénéfice culturel ou matériel certain. Ne nous en laissons pas détourner sous aucun prétexte alors que nous avions décidé de les mettre en œuvre. Si, comme nous vous l'avons conseillé, vous avez organisé votre vie intérieure de manière à donner à vos pensées une orientation fixe, vous résisterez aisément à toute sollicitation externe qui pourrait vous en faire dévier.

Chaque fois que vous vous laissez aller à abandonner quelque chose que vous aviez décidé, une déperdition magnétique s'ensuit, donnant lieu à une sorte de malaise intérieur. Inversement, lorsque vous demeurez fermement sur vos positions et que, même au risque de mécontenter amis ou parents, vous agissez selon le programme que vous aviez projeté, vous ressentez un réconfort. Vous vous êtes refusé à jouer le rôle de « sujet », avez résisté à l'argumentation et aux suggestions de l'extérieur. Ainsi, vos énergies intérieures se sont-elles maintenues, et même accrues. Sur le moment, alors que vous résistiez dans le plus grand calme aux sollicitations plus ou moins pressantes (ou même aux reproches), votre interlocuteur a pu ressentir une déception, voire un ressentiment. Heureusement, ce dernier restera superficiel et ne tardera pas à se dissiper pour faire place à la considération qu'inspire invariablement tout homme de caractère.

Moins vous fréquenterez de gens, moins nombreux et plus espacés seront les risques d'entrave à votre pleine et entière liberté, d'obstacles à votre volonté. Il ne s'agit pas, bien sûr, de vivre en ermite, mais quel que soit votre milieu, la proportion de ceux dont on ne peut attendre que perte de temps et d'énergie en futilités est considérable. Je laisse à votre sagacité le soin d'évaluer le nombre des personnes qui recherchent une compagnie uniquement parce qu'elles s'ennuient dès qu'elles sont seules, ce qui témoigne de la pauvreté de leur vie mentale.

9. Comment exercer votre aptitude à vouloir

On qualifie de « volontaire » l'enfant indocile et indiscipliné, celui auquel on n'arrive pas à *faire entendre raison*. En réalité, cet enfant manifeste de l'obstination et non de la volonté, puisque ce sont ses instincts et ses caprices qui le gouvernent. Ce que nous entendons par *aptitude à vouloir,* c'est la faculté de subordonner notre conduite à des décisions mûrement délibérées, d'accomplir des actes conformes à notre jugement, de persister — malgré les difficultés — dans la voie que nous nous sommes tracée.

« *La volonté,* dit Victor Segno (7), *ne peut se développer que par une adhésion absolue à de sages et clairvoyantes résolutions. Il faut d'abord réfléchir attentivement, puis décider et enfin exécuter ce que l'on a conçu avec une persévérance inflexible. Une résolution déterminée de décider intelligemment et fortement dans toutes les circonstances de la vie, plutôt qu'attendre que " quelque chose arrive " ou de s'inspirer des conceptions d'autrui, ajoutera beaucoup à la force de la plus faible volonté.* » Ensuite, Victor Segno engage ses élèves à lire une fois par jour les règles suivantes et à les observer constamment :

---

7. A. Victor Segno : *La Loi du mentalisme* (épuisé).

— Je veux décider par moi-même de mes propres actions et me conformer inflexiblement aux résolutions et décisions que j'aurai arrêtées de propos délibéré.

— Je ne me laisserai jamais déconcerter.

— Au moindre signe de surexcitation, je réagirai et demeurerai impassible.

— Je ne prendrai jamais aucune décision à la hâte.

— Mes décisions une fois arrêtées, je persisterai à les mettre en œuvre, aussi longtemps que j'aurai lieu de croire en leur bien-fondé.

— S'il m'arrive de constater que j'ai fait erreur, je ne m'obstinerai pas ; je tirerai parti de l'expérience pour rectifier ma ligne de conduite.

— Je ne gaspillerai jamais mes forces mentales à ruminer des regrets.

— Je n'agirai jamais contrairement à mon propre jugement.

— Je ne déciderai jamais rien qui puisse nuire à autrui.

— Je serai sincère vis-à-vis de moi-même, ne m'illusionnant ni ne surestimant le niveau réel de mes qualifications ou possibilités. Je serai également sincère vis-à-vis de tous.

Ces dix principes résument parfaitement les meilleures instructions qui puissent être données en vue de fortifier la volonté et de cultiver son magnétisme personnel.

L'aptitude à vouloir se développe exclusivement par des actes. Si les directives ci-dessus tendent à engendrer un certain nombre d'efforts volontaires, les exercices suivants complètent fort bien l'entraînement conseillé. Ils sont d'ailleurs très simples, à la portée immédiate de chacun :

— Fixez votre regard sur un objet quelconque et maintenez cette fixité pendant 2 à 10 minutes.

— Passez-vous plusieurs jours de suite de vos plats favoris.

— Prenez un objet et, sans laisser dévier le cours de vos pensées, analysez-le en profondeur : matériau, substance, phases de fabrication, usages divers, importance utilitaire, durée probable... Cet exercice, effectué 15 minutes par jour, développe d'une manière appréciable l'aptitude à la concentration et améliore la mémoire. Ceux qui sont enclins à des oublis, bévues ou menues inattentions vérifieront en quelques jours son efficacité.

— Passez en revue tout ce que vous avez accompli, vu ou entendu au cours de la journée sans laisser votre attention s'égarer sur un autre sujet. Cette révision minutieusement accomplie, en partant de l'instant du réveil, vous remémorera nombre d'incidences superficiellement enregistrées, de propos, d'expressions physionomiques dont vous tirerez souvent quelque indication de nature à éclairer vos appréciations. Elle vous placera d'ailleurs en face d'omissions, erreurs ou manquements dont le rappel préviendra les répétitions.

— Si vous êtes fumeur, diminuez votre consommation de tabac de moitié. Si vous êtes enclin au jeu, abstenez-vous de jouer 15 jours de suite.

— Lisez votre journal en entier, attentivement, y compris les parties qui ne vous intéressent pas ; ces dernières vous exerceront à plier votre attention à ce que lui assigne votre volonté.

— Fatiguez-vous physiquement, surtout si vos occupations professionnelles sont sédentaires.

— Ne dépensez que la moitié de votre argent de poche habituel, cela non pas dans un but sordide de thésaurisation, mais dans celui d'exercer votre volonté (conforme aux principes de la « rétention », cela renforcera votre capacité d'attirance quant à l'argent en général). Ne perdez pas de vue qu'une accumulation, quelle que soit sa nature, attire, positivement, des valeurs de même ordre.

— Au reçu d'une lettre dont la teneur ne peut qu'être intéressante, regardez-la 5 minutes avant de l'ouvrir en supputant son contenu probable.

— Quand l'événement le plus inattendu et le plus formidable se serait produit et aurait été porté à votre connaissance, alors que, dans votre entourage, nul ne s'en douterait, attendez une heure au moins avant d'en donner communication (sauf s'il y a obligation professionnelle).

— En lisant un livre, ne regardez pas la fin avant d'y arriver par une lecture progressive.

— Levez-vous le matin un quart d'heure avant votre heure habituelle.

— Ne posez jamais, à qui que ce soit une question inspirée par la curiosité (ce serait une défection quant à l'observance de ce que nous appelons la *maîtrise du verbe*).

— Couchez dans une chambre sans chauffage, avec la fenêtre ouverte. Cet exercice ne vise pas à un acte d' « héroïsme », mais
à étendre l'empire de votre volonté à vos tendances sensorielles :
affronter volontairement le froid, les intempéries et les conditions
matérielles inverses du « confort ». Le seul homme vraiment libre
est celui qui peut *éventuellement* se passer de n'importe quoi sans
en souffrir ni ressentir de manque. Sauf pour certains êtres faibles
ou malades, la chambre sans feu ne présente pas d'inconvénient
si l'on est suffisamment couvert.

*
* *

Tous ces exercices concourent au même résultat : la suprématie
de la volonté, condition fondamentale d'une influence psychique
au-dessus de la moyenne.

Leur exécution ne demande qu'un temps insignifiant, moins
de temps que nous n'en gaspillons sans profit pour des choses insi-
gnifiantes. Outre la portée de chacun, ils ont, dans leur ensemble,
l'avantage de contribuer à maintenir présent à l'esprit le souci de
donner au développement du magnétisme personnel une préémi-
nence constante. Certains ne demandent pas de temps, car ce sont
des règles à adopter plutôt que des exercices. Nul ne saurait douter de leurs effets immédiatement salutaires. Ces efforts d'autocontrôle équivalent, d'autre part, à autant d'autosuggestions. Se
répéter « *Je deviens plus énergique* » ou « *Mon influence augmente* », c'est s'autosuggestionner d'une manière purement verbale, certainement moins efficace que de résister à une impulsion
ou d'accomplir un effort expressif de la formule : « **Je peux et je
veux.** »

CHAPITRE X

De l'attention
à la concentration

1. Les automatismes

Il a déjà été question, au cours de ce livre, de nos deux systèmes d'automatismes. Il importe de bien comprendre ces deux secteurs de la vie intérieure pour aborder le problème de l'attention et de la concentration. Chacun s'intéresse à l'agencement de la machine qu'il conduit, à la structure de ses diverses composantes et aux interréactions de celles-ci, qu'il s'agisse d'une voiture ou de tout autre engin. Or, l'adepte du magnétisme personnel, s'il se représente clairement (au moins d'une manière purement schématique) les deux agencements fondamentaux de la vie organique et psychique, réalise la première des conditions nécessaires pour se gouverner, pour placer tout automatisme sous le contrôle de sa volonté.

L'**automatisme organo-végétatif** donne l'impulsion et assure la régulation des diverses fonctions internes. Soixante-dix-huit fois par minute, il assure le double mouvement (diastole et systole) du cœur. Seize fois dans le même temps, il actionne le soufflet pulmonaire. Il régit les contractions gastriques nécessaires à l'acte digestif, les mouvements péristaltiques de l'intestin, l'activité hépatique, rénale, etc. Sur ce système d'automatismes, qui s'équilibre de lui-même par le jeu de ses deux secteurs (l'orthosympathique et le parasympathique : l'un accélérateur, l'autre freinateur), nous ne pouvons agir qu'indirectement, en particulier par l'observation d'un régime alimentaire sain et d'une hygiène générale bien conçue. L'autosuggestion elle-même n'influe sur lui que par l'intermédiaire de l'inconscient.

Le second, constitué par l'ensemble des **automatismes psychologiques** dont nous avons déjà parlé, se manifeste sous trois aspects principaux : l'émotivité, les impulsions circonstancielles ou récurrentes (habitudes) et l'imagination. Il prédomine dans la vie intérieure de la majorité des êtres humains. Il importe de le subordonner à la volonté si l'on tient à acquérir le degré d'attention et la capacité de concentration indispensables pour régenter les propriétés attractives du magnétisme personnel et focaliser, avec efficacité, ses propriétés dominatrices. Cela présente des difficultés qu'il serait vain de sous-estimer, mais qui ne sont pas insurmontables si l'avidité des résultats est intense.

2. Attention spontanée et attention volontaire

Il est des personnes captivées par ce qu'elles font, dont l'activité ne requiert aucun effort de volonté puisqu'elle s'exerce soit *spontanément,* soit en mode automatique.

A l'inverse, si nous devons maintenir notre attention sur un sujet dépourvu d'intérêt à nos yeux, plus ou moins ardu, cela exige de notre part un effort parfois pénible, surtout s'il se prolonge ; c'est ce que nous appelons l'attention *volontaire.*

« *Si,* dit en substance Hector Durville (1), *on donnait pour tâche à un mécanicien intelligent et instruit l'étude d'une belle machine construite d'après un principe récemment découvert, son intérêt se trouverait immédiatement captivé. Ressentant un vif attrait pour l'engin en question, il n'aurait pas le moindre effort de volonté à accomplir pour examiner longuement et minutieusement celui-ci. Il n'en serait pas de même si notre mécanicien s'astreignait à considérer un objet très simple, inutile, et qui, dans tous les cas, ne présenterait pour lui aucun intérêt. Il serait obligé de faire un effort mental d'autant plus grand que ledit objet l'intéresserait moins.* »

1. *Op. cit.*

L'attention spontanée se manifeste dès la petite enfance. « *De l'enfant,* selon Sadler (2), *on peut dire que sitôt son attention attirée par un certain objet, elle y est tout entière. Regardez un bambin de 4 ou 5 ans avec son jouet. Assis sur un cheval mécanique, il se croit général de division ou maréchal de France. Sa pensée garde une fixité telle que, ni son frère, occupé à faire circuler un chemin de fer, ni sa sœur, gravement occupée à vêtir ses poupées, ne peuvent interrompre un seul instant son attention.* » Vient l'âge où l'enfant, éloigné de ses jeux, se trouve en classe, c'est-à-dire astreint à « faire attention » à des questions qui ne le captivent pas le moins du monde : l'arithmétique, la grammaire, etc. Alors commence pour lui l'exercice du mode *volontaire* de l'attention.

Aux heures de classe, tous les automatismes psychologiques se trouvent brimés : obligé de se tenir tranquille, de ne pas parler, d'écouter attentivement des leçons sur maints sujets pour lesquels il ne saurait éprouver d'intérêt, s'évertuant à trouver la solution de problèmes rébarbatifs et parfois saugrenus, le petit sujet dont l'attention volontaire mise à contribution forcée (alors qu'il ne la conçoit pas encore comme un attribut de sa puissance psychique) ne tend qu'à s'échapper. Dès que sonne la cloche, sa joie exubérante évoque celle d'un détenu devant lequel s'ouvre enfin la porte de l'établissement pénitentiaire !

Arrivés à l'âge adulte, la plupart des hommes, formés par les disciplines professionnelles, ont acquis une certaine modalité d'attention volontaire : celle qu'ils ne peuvent se dispenser de fixer sur leur travail. C'est déjà beaucoup mais, au point de vue culture psychique, l'attention volontaire devient particulièrement appréciable à partir du jour où l'on devient capable de la mettre en activité *sans y être contraint,* autrement dit de sa propre initiative, en vue de résultats prémédités et bien personnels.

3. Exercices d'attention

— D'une manière générale, observez méticuleusement ce qui s'offre à vos regards : objets, végétaux, animaux, la physionomie,

---

2. *Op. cit.*

la structure, les intonations et la gestuelle de chacun de ceux à qui vous avez affaire. Plus spécialement, inventoriez quelque objet banal — disons une clef — et notez toutes les caractéristiques que cet examen vous permettra de discerner. Voyez en quoi la clé en question diffère de chacune de celles que vous possédez. Cet inventaire sera satisfaisant s'il vous mène à la possibilité de décrire avec précision l'objet examiné.

— Prenez, comme sujet d'exercice, une personne qu'il vous soit possible d'observer fréquemment. Évaluez ses mensurations. Notez ses traits. Analysez son comportement verbal. Détectez, selon leurs manifestations, les originalités de son caractère, leurs contrastes et ce qu'elles peuvent présenter de contradictoire ; définissez son tour d'esprit. En résumé, édifiez un portrait physique et mental aussi précis et fidèle que possible de votre sujet.

— Réunissez dix autographes. Cherchez et trouvez en quoi chacun diffère de tous les autres, aux points de vue dimensions de l'écriture, forme, pression, vitesse, direction, continuité et ordonnance de celle-ci. Il s'agit de définir les tracés, non pas d'en tirer des déductions caractérologiques.

— Reprenez l'objet du premier exercice. Placez-le devant vous. Dessinez-le aussi exactement que possible. Ensuite (objet et dessin placés hors de votre vue), dessinez l'objet de mémoire.

— Quand vous passez d'une besogne à une autre, de l'examen d'une question à celui d'une autre question, oubliez absolument la précédente afin d'affecter toute votre attention à la seconde. Une journée bien ordonnée comporte la répartition de ses heures en diverses occupations successives. Au cours de chacune, tout souci des autres, toute pensée s'y rapportant doivent être bannis. Il ne faut penser qu'à une chose à la fois.

Il arrive — et c'est là une manifestation de l'automatisme psychologique — qu'en plein travail, et si rigoureuse que soit l'application de l'esprit à ce travail, une série d'idées utiles se rapportant à quelque autre activité fasse irruption dans le champ de la conscience. Qu'on les note succinctement.

Immédiatement après, on ramènera la pensée à ce qui l'occupait.

4. Concentration ou attention ?

Tenir sa pensée fixée ou orientée délibérément sur un ensemble de conceptions, telle pourrait se définir la concentration, alors que l'attention pure et simple (soit spontanée, soit volontaire) implique un support matériel, par exemple une besogne simple ou compliquée.

Quand une personne ressent de l'ennui, elle entreprend parfois volontiers l'exécution d'une tâche quelconque en s'efforçant d'y prendre intérêt. Elle comble ainsi l'espèce de vide mental qui caractérise l'ennui. Elle a recours à l'attention. Si elle entreprenait de réfléchir profondément sur quelque problème, d'examiner sous tous les rapports possibles et imaginables une question quelle qu'elle soit, ce serait à la concentration qu'elle aurait recours.

Entre la plus haute aptitude à l'effort volontaire d'attention et la possibilité de se concentrer telle que définie ci-dessus, la différence s'avère évidente. Nous allons voir comment, par un entraînement conçu pour servir de transition, l'homme déjà exercé à diriger et à maintenir son attention sur ce qu'il veut s'achemine vers le pouvoir de concentrer son esprit avec l'aide exclusive des ressources de celui-ci.

5. Entraînement élémentaire

Il comporte trois exercices, jadis conçus par William-Walker Atkinson (3), lesquels réduisent à sa plus simple expression le « support matériel » de l'attention. Leur apparente simplicité a déconcerté de nombreux étudiants parce que l'insignifiance même de ce que prescrivent ces exercices leur a masqué l'importance des possibilités auxquelles ils ouvrent accès.

— Asseyez-vous en face d'une table et placez vos mains sur cette table, poings fermés et doigts tournés en dehors (les mains doivent donc toucher la table par la face dorsale). Déployez lentement votre pouce droit en surveillant le mouvement avec l'atten-

---

3. *La Force-pensée* (épuisé).

tion que vous apporteriez à un acte de la plus grande importance. Cela fait, ouvrez lentement et successivement l'index, le médius, l'annulaire et l'auriculaire et refaites en sens inverse la même série de mouvements. Ayant commencé par la main droite, continuez par la main gauche. Plus lents seront les mouvements, plus sera grande leur efficacité. Atkinson conseille une durée de 5 minutes pour les premiers exercices, puis une lenteur de plus en plus marquée à laquelle il assigne, comme durée optimale, 10 minutes pour chaque main.

— Cet exercice consiste à entrecroiser les doigts et à tourner lentement les pouces (sans qu'ils entrent en contact). Ici encore, l'efficacité de l'exercice est proportionnelle à sa lenteur. Un principe identique peut s'appliquer à n'importe quels mouvements de culture physique, surtout aux plus simples. Essayez, étant debout, d'élever vos bras parallèlement jusqu'à une parfaite verticalité. Rien de plus facile. Si vous mettez 5 minutes pour exécuter ce mouvement, il constituera un excellent exercice préparatoire à la concentration. Que l'attention se relâche, fut-ce pendant une fraction de seconde, de deux choses l'une : ou bien les bras s'arrêtent, ou bien le mouvement s'accélère si rapidement qu'il se trouve achevé avant même que l'on se soit aperçu du relâchement de la surveillance.

— Placez la main droite sur le genou, les doigts fermés, à l'exception de l'index qui doit être allongé et dirigé perpendiculairement au corps. Cela fait, remuez le doigt de droite à gauche et de gauche à droite avec la plus extrême lenteur. La pensée doit suivre et diriger le mouvement sans la moindre interruption. Plus exactement, une représentation du mouvement doit doubler, pour ainsi dire, l'accomplissement de celui-ci.

Les trois exercices précédents une fois « maîtrisés », c'est-à-dire lorsqu'on est arrivé à les exécuter irréprochablement, sont à transférer sur le plan mental. Pour cela, au lieu d'effectuer physiquement les mouvements qu'ils comportent, il faut, dans le silence, l'obscurité et l'immobilité, les visualiser mentalement, penser que l'on *se voit* les exécuter, avec une représentation attentive de chacun d'eux.

Ici, l'imagination se trouve mise à contribution dans le mode conscient dirigé, non pas dans le mode erratique.

6. Entraînement supérieur

Pour commencer, voici un exercice qui requiert l'activité de tous les mécanismes cérébraux :

— Lisez un texte d'environ 150 lignes, par exemple l'article de fonds de votre quotidien habituel ou de celui qui soutient des thèses opposées à celles de votre journal. Assimilez méthodiquement le texte en question depuis les idées essentielles jusqu'aux détails. Voyez à quelles conclusions il tend et analysez l'argumentation utilisée par le rédacteur. Procédez comme si vous vous proposiez d'exposer clairement le lendemain, à un auditoire, la teneur de l'article en question. Mettez ensuite le texte dans un tiroir et reconstituez-le « de mémoire », non pas nécessairement mot à mot, mais fidèlement et intégralement. Au début il est bon de procéder par écrit, afin de comparer votre exposé à celui que vous avez lu et de vérifier ainsi la parfaite concordance de l'un et de l'autre. Après un certain nombre d'expériences, l'enregistrement mental suffira.

— Deuxième exercice : choisissez un sujet de méditation et, pendant au moins 30 minutes, tenez votre esprit orienté sur ce sujet. Inventoriez tous ses aspects, toutes les questions qu'il pose. Classez l'ensemble par ordre d'importance, puis consacrez quelques minutes à réfléchir sur chaque aspect, sur chaque question. Notez mentalement les considérations qui vous viendront à l'esprit. L'exercice devrait s'achever par une révision générale.

— Troisième exercice : vous possédez, dans un certain nombre de domaines, des connaissances plus ou moins étendues. Qu'il s'agisse d'un domaine manuel ou intellectuel, peu importe. Reportez-vous au temps où le domaine choisi comme base d'exercice vous était inconnu et reconstituez, par une sorte d'évocation psychique, les diverses étapes que vous avez franchies avant d'acquérir le savoir qui vous est aujourd'hui familier. Commencez par les données élémentaires. Suscitez le rappel exact de ce qui a suivi leur connaissance, leur compréhension ou leur maniement. Supposons qu'il s'agisse d'une des branches de votre instruction générale (histoire, algèbre... peu importe) ; partez du début et enchaînez progressivement. Si votre mémoire se montre rétive en cours de route, faites un effort. Tout ce que vous avez appris reste gravé dans votre subconscience. En restant concentré sur l'intention de provoquer un rappel, vous déterminerez la reviviscence de notions que le temps semble avoir peu à peu effacées. Plus on exerce la mémoire à des révisions, plus satisfaisante elle devient.

— Quatrième exercice : dès que l'on a acquis la puissance de concentration à laquelle tendent les exercices précédents, il devient possible de se mettre en état de « disponibilité » mentale pour obtenir des inspirations, des idées, des conceptions nouvelles sur toute question à laquelle on s'intéresse. Cet état, que détermine la méditation, a une double action. D'une part, il tend à faire surgir de dedans — de l'inconscient — des notions qui, venant s'associer au sujet sur lequel on médite, le rendent plus compréhensible. D'autre part, il attire du dehors des influences, des pensées et des images, lesquelles donnent lieu à des considérations parfois lumineuses et même à la production d'énergies suffisantes pour surmonter l'obstacle.

Il n'est personne à qui l'existence ne pose certains problèmes d'apparence insoluble ; la méditation donne à tous le moyen de trouver des solutions (4). Après un quart d'heure préalable d'isolement, il faut « penser » les données du problème, se les représenter aussi clairement que possible, les maintenir présentes à l'esprit, les ruminer inlassablement sans se laisser déconcerter par l'aspect obscur et apparemment insoluble de la situation. Ayant déjà une certaine confiance dans ses possibilités psychiques, l'adepte qui se livre à la méditation entretient spontanément en lui la décision, la volonté et la certitude d'obtenir les lumières grâce auxquelles la tactique à adopter lui apparaîtra clairement. Une heure peut fort bien se passer sans que le moindre résultat apparent ne survienne ; mais, au cours de cette heure, on aura déclenché divers processus mentaux dont l'activité se poursuivra les heures suivantes (même au cours du sommeil) et donnera lieu (5) à des « réponses » souvent satisfaisantes. Parfois, au cours d'une séance de méditation, et à la grande surprise de l'intéressé, la lumière jaillit : il

4. Voir l'ouvrage de Christmas Humphreys : *Concentration et méditation* (Éditions Dangles).

5. Dans un délai excédant rarement 48 heures.

visualise alors concrètement ce qu'il convient de décider ou d'accomplir. Quand il s'agit de difficultés importantes ou de problèmes de grande envergure, plusieurs séances de méditation consécutives seront souvent indispensables. A la condition de persévérer, soyez assuré que ce qui vous semblait profondément obscur ou insoluble s'éclairera peu à peu.

Trois modalités différentes de méditation s'offrent :

— On médite **passivement** lorsque, placé dans l'état d'isolement déjà décrit, on demeure dans l'expectative confiante de ce qui peut se présenter. Ainsi, les intentions ou dispositions d'autrui à notre égard suscitent-elles en nous un discernement proportionnel à notre degré de réceptivité. Les opportunités imminentes se révèlent dans notre intuition. Des idées connexes à nos préoccupations s'esquissent. Les relations de cause à effet de nos décisions (tant révolues qu'imminentes) apparaissent plus clairement et, selon notre souci d'équité, le juste ou l'arbitraire de nos actes ou décisions éveillent de judicieuses lueurs dans notre conscience morale.

— On médite **interrogativement** lorsqu'on maintient longuement son attention sur les données d'un problème (spirituel ou matériel) que nos facultés intellectuelles ne suffisent pas à résoudre d'emblée.

— On médite **adjurativement** lorsque, après avoir retracé l'aboutissement d'une situation douloureuse ou embarrassante, insisté sur l'aspect apparemment incontournable des difficultés, on adresse un appel mental (dont l'ardeur déterminera l'efficacité) soit aux intelligences et aux puissances invisibles en général, soit à telle entité divine dont on admet l'existence et la bienveillance. L'agent universel, ne l'oubliez jamais, assure la résonance de vos pensées dans tout l'univers.

Si absurde que puisse vous sembler une croyance, soyez certain qu'elle a au moins *une* valeur objective : la somme considérable d'énergie psychique émise par tous ceux pour qui elle représente une réalité, en d'autres termes la **puissance de toute conviction collective**. C'est pourquoi les fidèles de n'importe quelle religion obtiennent, par l'appel mental adressé sous forme de prière à telle divinité ou à tel saint, un réconfort moral et même des résultats matériels et tangibles parfois miraculeux, cela en proportion de leur ferveur et de leur sincérité.

7. Représentations visuelles et auditives

Si l'on admet, comme les Anglo-Saxons, que « *le temps c'est de l'argent* », les heures consacrées au développement de la capacité de concentration peuvent être considérées comme un placement de premier ordre, car elles créent un capital inaliénable. Si l'influence invisible de certaines personnes ne détermine que des effets insuffisants, c'est qu'elles ne savent pas la *concentrer*. Même à haute tension, une influence qui s'éparpille vers de multiples objectifs fragmentaires ne constitue pas un pouvoir. Dès que l'on devient capable d'un faisceau concentré, cette influence s'impose et ses propriétés attractives deviennent manifestes.

Les exercices que nous venons de recommander suffisent si l'on entend adopter la méthode passive, dont les avantages sont bien supérieurs à ce que peut valoir la méthode active. Mais cette dernière séduira toujours la majorité des adeptes. Elle nécessite néanmoins un entraînement spécial à la concentration : l'aptitude à des représentations mentales précises et prolongées.

Dès que l'on envisage d'influer sur quelqu'un en particulier ou d'obtenir tel ou tel résultat correspondant à telle ou telle avidité spéciale, la première condition à remplir consiste à se représenter ce que l'on veut, longuement et assidûment. Voici de nouveaux exercices dont l'exécution fréquente développe l'aptitude à la visualisation :

— Dans le silence et l'obscurité, fermez les yeux et, faisant appel à vos souvenirs, revivez mentalement une scène de votre passé. Efforcez-vous de donner à chaque personnage son relief précis, d'en évoquer le portrait vivant, les traits exacts, les paroles ; situez-le au milieu des autres (du plus insignifiant au plus important), de tous ceux qui ont joué un rôle dans la scène en question. Évitez l'écueil de laisser dégénérer cet exercice en rêverie. Votre imagination figure l'écran sur lequel votre psychisme va projeter divers personnages ainsi que leurs faits et gestes. Tout devra se coordonner du début à la fin, comme dans un véritable film.

— Un certain nombre de paysages que vous avez contemplés se trouvent clichés dans votre subconscient. Appliquez-vous à la représentation mentale de l'un d'eux. Revoyez-le en esprit dans son ensemble, en examinant chacune de ses caractéristiques.

— Parmi les représentations théâtrales auxquelles vous avez assisté, certaines vous ont plus impressionné que d'autres. Choisissez-en une qui ait retenu votre attention d'un bout à l'autre, sans distraction, et répétez-la mentalement. S'il s'agit d'une production lyrique, votre mémoire auditive vous en restituera les contours mélodiques, l'ensemble orchestral et les éléments vocaux. Au cours d'une séance de visualisation, mieux vaut s'attacher à la reconstitution fidèle d'un seul acte, et réserver les autres pour des séances ultérieures.

— La composition d'un jeu ordinaire de 32 cartes vous est certainement familière. Représentez-vous donc mentalement chaque carte, tour à tour. A raison d'une minute environ par carte, cet exercice nécessite de 30 à 35 minutes. Quand vous l'exécuterez pour la première fois, vous serez surpris de constater que les physionomies et attributs des personnages ne vous apparaissent pas avec autant de précision que vous le pensiez. N'hésitez pas à recommencer, en étudiant préalablement chaque carte, méticuleusement et soigneusement, afin d'en enregistrer tous les petits détails graphiques auxquels, jusqu'à présent, vous n'aviez pas prêté attention. Vous pouvez vérifier au coup par coup, après chaque visualisation d'une carte, si votre image mentale est bien fidèle à l'original.

Plus difficile qu'il ne semble, cet exercice constitue un « test » parfait d'attention comme de concentration.

8. Le portrait mental intégral

Choisissez comme sujet une personne dont vous avez minutieusement observé l'aspect extérieur, sous tous les angles, dont les traits soient fidèlement clichés dans votre mémoire et dont vous avez suffisamment analysé la psychologie pour en discerner au moins les éléments essentiels.

Imaginez-vous qu'elle est présente, que vous la voyez, que vous l'entendez, qu'elle manifeste par ses propos et ses réactions les dispositions intellectuelles, affectives et morales que vous lui connaissez. Lors de votre premier essai l'évocation restera floue. Après quelques répétitions, votre personnage vous semblera plus réel, plus vivant. Il prendra l'allure d'une sorte d'apparition.

Cette pratique, la plupart des expérimentateurs la considèrent comme la base de toute tentative d'influence télépsychique, car elle crée un rapport, un *syntonisme*, entre l'opérateur et le sujet (6). Nous l'envisageons ici comme une étape avancée de l'entraînement mental, comme un mode supérieur de concentration.

Sans aucune arrière-pensée d'obtenir quoi que ce soit de spécial, si vous voulez bien maintenir durant environ deux heures l'évocation précédente, vous vous rendrez compte, dans les jours qui suivront, que votre concentration a influé sur le sujet. Supposons qu'auparavant son attitude vis-à-vis de vous ait été neutre ou indifférente. Il manifestera alors plus d'intérêt à votre endroit, une sorte d'intérêt scrutateur plutôt que sympathique, celui de quelqu'un qui a ressenti, à certain moment, une indéfinissable impression que votre présence lui rappelle. Moins vous paraîtrez remarquer cela, plus intrigué il semblera. S'il est doué d'intuition, il concevra à votre égard une sorte de soupçon qu'il ne saura préciser, mais qui l'obsédera plus ou moins. Il cherchera à se rendre compte dans quelle mesure il vous intéresse, cela au cours de vos échanges de vues ou, indirectement, en amenant ceux qui vous connaissent à lui parler de vous. Qu'aura-t-il donc ressenti pendant l'expérience en question ? Votre influence invisible, orientée vers lui, simplement par une représentation mentale prolongée à dessein, peut avoir donné lieu à l'une ou l'autre de deux séries d'effets (7) :

— Soit une agitation plus ou moins fébrile, accompagnée de ce petit malaise qu'on nomme « énervement » ou agacement, puis une propension à se dépenser (verbalement ou en actes), enfin une accélération surprenante du cours de la pensée, une hyperidéation aussi peu favorable au sommeil qu'à un travail attentif.

— Soit un engourdissement général, une torpeur de plus en plus accentuée. Si le sujet était en pleine activité, celle-ci s'est peu à peu ralentie. S'il se trouvait en société, son entrain aura fléchi. Écoutant bientôt d'une manière anormalement distraite ce que l'on disait autour de lui, témoignant une indifférence surprenante pour

---

6. Voir, du même auteur : *L'Influence à distance* (Éditions Dangles).
7. Selon la prédominance, chez le sujet, de l'orthosympathique ou du parasympathique.

ce qui l'intéresse habituellement, il aura produit sur l'entourage l'impression d'une personne préoccupée ou somnolente, en tout cas dans un état étrange, quelque peu inquiétant.

Ces effets, qui se dissipent d'ailleurs rapidement dans les 30 minutes qui suivent la cessation de l'action, ne sauraient donner lieu à aucun trouble ultérieur. S'ils laissent un souvenir, c'est que le sujet se rend obscurément compte qu'ils procèdent d'une cause extérieure et qu'ils n'ont jamais eu de précédent identique.

Je n'engage personne à faire de cette expérience un jeu. Il suffit de la réussir une fois pour en tirer l'enseignement qu'elle comporte : à savoir la réalité des phénomènes répercussifs qu'engendre la concentration.

CHAPITRE XI

L'influence directe en mode actif

1. Dispositions nécessaires

La plus habile utilisation que vous puissiez faire de votre influence invisible, après avoir élevé au maximum sa tension d'extériorisation, consiste à la laisser agir seule en *mode passif*. Ses propriétés attractives projetées par vos ambitions, desseins et activités, par la visualisation des satisfactions auxquelles vous aspirez ne tarderont pas à se manifester dans une réalité tangible.

Ce serait la sagesse, mais les sages n'abondent pas ! Je reconnais qu'outre l'attrait pur et simple de l'expérimentation, on se trouve en mainte circonstance incité à influencer délibérément sur quelqu'un, ou à provoquer tel ou tel concours de circonstances. Les plus hautes doctrines initiatiques déconseillent l'expérimentation et n'en révèlent pas les modalités. Que cette « discrétion » soit justifiée, je l'admets mais sans m'incliner. Pour ma part, je préfère, après avoir prémuni mes lecteurs contre les inconvénients de l'action psychique directe, leur laisser décider par eux-mêmes s'ils y recourront ou non.

Pour user de l'influence directe avec toutes les chances de succès, il convient de remplir certaines conditions :
— Avoir déjà parfaitement compris l'enseignement donné dans ce livre.

— S'être exercé et entraîné à la mise en pratique des exercices de la seconde partie.

— Se trouver « en pleine forme », tant physique que psychique. Il faut une vigueur mentale assez intense pour que l'accomplissement des efforts requis ne donne lieu à aucune dépression énergétique.

— Ne jamais entreprendre d'influencer quelqu'un dont la personnalité vous impressionne, ou aux dispositions de qui on se sente subordonné.

— Conserver à tout instant la maîtrise de sa pensée, ce qui implique l'acquisition préalable de cette possibilité d'interruption volontaire décrite au chapitre VIII. Dans le cas contraire, on courrait le risque de s'acheminer vers l'obsession ou vers d'autres déséquilibres mentaux encore plus graves.

— Commencer par des actions d'envergure limitée avant d'aborder celles qui représentent de grosses difficultés. Éviter les résistances dont on ne saurait triompher avant de ressentir une confiance absolue dans les moyens que l'on a déjà éprouvés. S'il est un domaine où la confiance (justifiée) en soi joue un rôle primordial, c'est bien celui de la télépsychie, et cela à un point tel que le doute semble pire que la présomption.

J'ai vu des personnes animées de plus de foi que de moyens obtenir des résultats surprenants, car **la foi écarte le doute, soutient la concentration d'esprit et engendre la persistance.** Elle ne soulève peut-être pas (matériellement) les montagnes, mais l'enthousiasme qu'elle suscite réellement est une véritable source de dynamisme !

2. Pour résoudre des difficultés moyennes

Après avoir recommandé à ses lecteurs de toujours commencer par 10 minutes au moins d'isolement, Turnbull (1) leur conseille ceci : lorsque vous serez dans l'état voulu de calme et de sérénité, asseyez-vous devant une table et écrivez, très lisiblement, sur un rectangle de carton blanc, une phrase succincte exprimant ce que vous voulez obtenir. Par exemple :

---

1. *Op. cit.*

— « *Je veux que les ennuis que j'ai avec X cessent.* »
— « *Je veux donner une impression favorable à Y.* »
— « *Je veux que Z soit amené à faire telle ou telle chose.* »
Placez ensuite votre carton à peu près verticalement, en l'appuyant contre quelque objet. Regardez fixement votre écriture, en concentrant votre pensée avec autant de calme que d'intensité sur le sens des mots et des phrases que vous avez sous les yeux.

Tel que décrit, ce procédé peut sembler simpliste, voire enfantin. Il faut donc l'*animer* pour qu'il donne lieu à une émission réelle, à une projection ardente de force mentale. Ce n'est pas parce que l'expérimentateur fixe obstinément la phrase : « *Je veux que les ennuis que j'ai avec X cessent* » qu'il influera sur X, même s'il le souhaite ardemment. Pendant cette fixation, la pensée doit travailler. Elle doit remonter à l'origine des ennuis en question, en définir les causes, en dépeindre l'objet, se représenter comment on pourrait y mettre fin, visualiser le changement d'attitude de X et adresser à ce dernier toutes les suggestions mentales susceptibles de contribuer à la modification de ses dispositions, faire appel à l'éveil en lui-même du sentiment de l'intérêt qu'il trouverait dans la conciliation, l'adjurer d'entrer dans la voie d'un accord et lui ordonner, positivement et fermement, de céder aux inspirations que vous lui suggérez. Mieux vous comprenez le point de vue d'un opposant, plus lucidement vous vous l'expliquez, plus profonde et plus irrésistible sera l'imprégnation de sa mentalité par ce qui émane de la vôtre.

Atkinson (2) confirme, à quelques variantes près, ces vues : « *Le meilleur moyen*, dit-il, *d'obtenir un résultat est d'établir entre le sujet et vous un rapport par l'intermédiaire de la télépsychie. Procédez ainsi : cherchez d'abord un refuge solitaire où rien ne risquera de venir vous troubler. Étendez-vous sur une chaise longue. Desserrez vos vêtements, relâchez vos muscles, détendez vos nerfs, dégagez-vous pour ainsi dire de votre personnalité physique. Puis ramassez toute votre pensée, toute votre énergie mentale, toute votre force de rayonnement, toute votre volonté sur l'objet qui vous préoccupe, sur la personne que vous voulez influencer. S'il s'agit d'une personne que vous n'avez jamais vue (mais avec laquelle vous*

---

2. *Op. cit.*

savez que vous allez entrer en relation) cherchez à vous en imaginer la stature, la physionomie, l'attitude (à l'aide des indications que vous possédez ou des supputations que vous pouvez faire). » Dès que la netteté de l'image devient satisfaisante, propulsez avec vigueur les idées et les représentations expressives de ce que vous entendez obtenir ou imposer. Ne craignez pas de vous exalter, jusqu'à devenir impérieux. Votre élan s'amortira progressivement, en raison de la dépense d'influx nerveux qu'exige ce procédé. Terminez toujours par un quart d'heure d'isolement, d'interruption de la pensée. Si vous opérez juste avant de vous mettre au lit, votre esprit subjectif poursuivra (alors que vos facultés conscientes seront en repos) la tâche commencée à l'état de veille.

Allons plus loin : j'ai vérifié, à maintes reprises, que toute détermination, conviction ou désir solidement fixé dans le subconscient, donnait lieu à une action télépsychique des plus efficaces, bien qu'automatique, cela dans la mesure même où la « tension d'extériorisation » acquise par la mise en pratique des principes généraux du magnétisme personnel atteignait un plus haut degré d'intensité (3).

3. Les actions à distance et en profondeur

Quand il s'agit d'influer profondément sur les dispositions morales, intellectuelles ou affectives d'une personne chez laquelle celles-ci semblent d'une stabilité bien déterminée, ne dissimulons pas que la difficulté ne cède qu'au prix d'efforts renouvelés jour après jour, pendant des semaines et souvent des mois. Pour atténuer puis faire disparaître l'hostilité ou l'indifférence, pour surmonter l'inconstance, pour agir sur un jeune sujet indocile, rebelle ou le soustraire à de fâcheux entraînements, les procédés élémentaires dont nous venons de parler seraient insuffisants.

A moins que l'expérimentateur ne se sente animé par de puissants mobiles — par d'intenses *avidités*, pour reprendre un mot

---

3. Cette assertion ne s'est imposée à mon esprit qu'après plusieurs années. J'ai longtemps cru à des coïncidences. Il m'a fallu me rendre à l'évidence : l'activité autonome de l'inconscient prolonge celle dont l'esprit conscient lui donne l'impulsion.

dont j'ai sans doute abusé mais qui exprime mieux que n'importe quel autre ce que je veux dire — la lassitude et le découragement ne tardent pas à survenir.

Pour entreprendre une action à distance importante, les meilleures conditions consisteraient à disposer de tout son temps et d'une entière liberté afin de se consacrer entièrement à la tâche.

Faute de telles possibilités, il reste celle d'affecter — outre les deux heures quotidiennes indispensables — un ou deux jours par semaine à l'effort télépsychique. Pendant chacun de ces jours, en alternant une séance de 2 heures à une « mise en veilleuse » de la pensée de même durée afin de récupérer ses forces, on peut passer 12 heures au travail, soit 6 heures d'action et 6 heures de récupération, puis se restaurer et dormir longuement.

Ainsi que je l'ai exposé dans un précédent volume (4), la condition fondamentale à remplir pour agir avec efficacité, tout en conservant un parfait équilibre, est de savoir détourner complètement son attention de la personne que l'on veut influencer pendant tout le temps que l'on ne passe pas à la « travailler ». Il faut absolument trouver le désintérêt, soit en s'appliquant à un travail nécessitant une attention soutenue, soit en ayant recours à quelque délassement (un sport quelconque, par exemple). Cela nécessite une exceptionnelle maîtrise de soi, non pas seulement dans le comportement mais dans la subordination de l'imagination et de la sensibilité à la volonté. Si l'on me dit : « *Je ne peux pas m'empêcher d'y penser constamment, jour et nuit* », je réponds que dans ces conditions on joue plutôt le rôle de sujet que celui de suggesteur. Faites-vous un principe inflexible de ne jamais accepter de subir de qui que ce soit une inféodation obsédante, de maintenir votre équilibre général, votre liberté et votre lucidité en toutes circonstances. La dépendance corrode l'ardeur dominatrice. Loin d'affaiblir l'intensité de vos avidités, le fait de les dominer, de les diriger et de les garder sous votre contrôle décuplera leur résonance.

« *De même,* dit Turnbull, *qu'une rivière endiguée exerce une pression plus grande contre ses rives, la passion contenue atteint dix fois plus de force.* » L'énergie psychique s'éparpille sans effets

---

4. *L'Influence à distance* (Éditions Dangles).

utiles pendant tout le temps où l'on se lamente, où l'on déplore, où l'on réprouve, où l'on s'abandonne aux ruminations passives. Or, il faut, selon l'expression d'Atkinson, « *ramasser* » (disons accumuler, contenir) ses énergies, car l'effort à accomplir à chaque séance de projection active nécessite un « ampérage » et un « voltage » élevés.

4. Les rythmes de l'action à distance

Accumulation par rétention, projection, récupération par la « mise en veilleuse » de la pensée et recharge par l'observation de tout ce qui favorise l'élaboration abondante de l'influx nerveux, tels sont les quatre « temps » de toute action à distance. En ce qui concerne les trois premiers, le lecteur possède déjà toutes les indications nécessaires.

La « recharge » implique avant tout un sommeil régulier et profond, la présence dans le régime alimentaire de substances riches en phosphore et enfin une détente en plein air. Pour cette dernière, par exemple, une paisible promenade au cours de laquelle on laissera l'esprit flâner, errer, comme assoupi dans la contemplation du paysage, des vitrines, des personnages que l'on croise ou des menus incidents éventuels. Pendant ce temps les poumons se ventilent, le sang s'oxygène, les nerfs se détendent et l'esprit recouvre un calme parfait, goûte la sérénité. Ce temps de « recharge » devrait précéder immédiatement l'effort de projection, de suggestion mentale. Celui-ci terminé, on passe à l'isolement, puis au repos et enfin au sommeil. Pour autant que cela sera dans vos possibilités, observez ces rythmes.

5. Comment influer psychiquement sur quelqu'un

Revenons au paragraphe 8 du chapitre précédent *(Le portrait mental intégral)*. Si vous l'avez lu attentivement, ce qui va suivre vous semblera limpide. Si, au surplus, vous l'avez mis en pratique, vous voilà préparé à influer véritablement sur quelqu'un.

Sans vous en douter et sans l'ombre d'une intention, vous influez déjà sur toute personne dont l'individualité visible et invisible vous est connue. Par *individualité invisible* j'entends la psychologie du sujet, son caractère, ses prédispositions, penchants, facultés et aptitudes de toute nature. Pour transmettre (avec certitude de réceptivité) votre pensée à un tiers, il faut que vous l'ayez assez subtilement observé et analysé afin que sa vie intérieure, ses conditionnements affectifs et intellectifs vous soient clairement intelligibles. Il faut l'avoir « compris ».

Telle se présente la première difficulté, car la vie sociale incite chacun à s'efforcer de *paraître* fort différent de son individualité véritable. Une sorte de cloison étanche, d'écran coloré, isole chacun de tous ses semblables. Vous pouvez fréquenter un homme dix ans de suite et n'en connaître que certaines apparences, certains traits de caractère. La vie en commun elle-même ne révèle aux intéressés qu'un ou plusieurs aspects de leurs personnalités respectives. Plus justes et plus exactes seront vos évaluations des diverses composantes psychologiques du « sujet » (notamment de ses mobiles et aspirations), plus sûrement vous influerez sur sa vie intérieure, ses sentiments et dispositions profondes. Je vous engage donc à inventorier, à définir ses éléments caractérologiques, à vous rendre compte comment ils s'articulent, quel est le retentissement de l'un sur chacun des autres, enfin de chercher à discerner la source initiale de ce que son comportement a d'original, à remonter de sa parole aux pensées ou intentions qu'elles expriment, de vous rendre compte par quoi il est animé et inspiré.

Vous pouvez, bien entendu, vous aider des techniques permettant une meilleure connaissance des autres : graphologie, physiognomonie, caractérologie (5)... Mais si vous n'êtes pas très versé dans ces techniques, vos meilleurs moyens d'investigation resteront l'observation et la réflexion. Réunissez donc le plus grand nom-

---

5. Voir, à ce sujet, les ouvrages suivants :
— Jean Chartier : *Vous et les autres* (cours pratique de caractérologie) (Éditions Dangles).
— André Lecerf : *Cours pratique de graphologie* (Éditions Dangles).
— Jean Spinetta : *Le Visage, reflet de l'âme* (Éditions Dangles).
— André Passebecq : *Qui ? Découvrez qui vous êtes et qui sont réellement les autres* (Éditions Dangles).

bre possible d'indications sur votre sujet ; ses moindres propos, gestes, attitudes ou réactions vous éclaireront. En y réfléchissant, vous vous rendrez compte de ce qui est affecté ou conventionnel et de ce qui procède de caractéristiques réelles et profondes. Les origines et les antécédents de toute personne, lorsque l'on peut en avoir connaissance, l'éclairent sous un jour souvent fort distinct de celui où la montre le présent. Bien entendu, la plus parfaite discrétion s'impose. Si le sujet prenait conscience du fait qu'il est analysé ou que l'on s'intéresse à son passé, une sorte de « défensive » instinctive se conditionnerait en lui, ce qui ne faciliterait pas notre tâche. Si, ayant lu attentivement ce livre, vous vous trouvez déjà bien pénétré des principes de l'influence personnelle, vous agirez toujours de manière à ce que plus une personne vous intéresse, plus un résultat vous préoccupe, plus indifférent vous devez sembler à la personne en question et plus secrète doit demeurer votre préoccupation.

Construisez avec patience et objectivité votre « portrait mental intégral ». Donnez-lui de la vie. Entrez, si j'ose dire, dans sa personnalité. Essayez d'imaginer le cours de ses pensées du lever au coucher, de vous rendre compte à quoi il est enclin, des perspectives qu'il évoque volontiers, de celles auxquelles il se sent hostile et de ce que, dans le futur, il vise à obtenir ou à éviter. Affectez vos premières séances d'action mentale à cette espèce d'évocation. Prolongez-la le plus longuement possible. Pour éviter de la laisser dégénérer en rêverie, pour garder le rôle actif, émettez à plusieurs reprises des pensées telles que les suivantes : « *Mon influence vous envahit* », « *Je suis résolu à vous subordonner à ma volonté* », « *Vous ressentez une indéfinissable impression, prémonitoire d'un changement et vous vous y abandonnez* », « *A travers la distance et les murs, je vous magnétise irrésistiblement* ». Représentez-vous bien ce que signifient ces formules. Voyez le sujet ressentir votre influence, se dire qu'il éprouve une impression étrange, céder à votre action, tomber dans une sorte de somnolence.

Il n'y aura, au début du moins, que de très légers effets, si légers que le sujet ne s'en rendra probablement pas compte. De multiples réitérations seront indispensables pour que vous observiez vous-même d'autres résultats. Notez, d'ailleurs, qu'une personne qui pense, décide et agit sous l'empire de la suggestion mentale a la conviction de penser, décider et agir de *sa propre initiative*. Ce qui lui est suggéré s'insinue si doucement, si graduellement dans les profondeurs de son subconscient — là où s'élabore sa pensée — qu'elle ne peut détecter l'influence subtile et invisible dont elle subit l'imprégnation. Que vous procédiez durant l'état de veille ou de sommeil de votre sujet, cela ne fait aucune différence car son subconscient enregistrera nuit et jour les influences venues du dehors, même si les facultés conscientes sont en pleine activité (travail, loisir...).

6. Déroulement d'une séance complète

Tout d'abord, tenez votre esprit fixé sur le « portrait mental ». Secondement (sans perdre de vue la représentation imaginative du sujet), précisez ce qu'en définitive vous voulez obtenir. Évaluez, sans illusion, le degré d'incompatibilité des dispositions actuelles du sujet et de celles dans lesquelles il faudrait qu'il se trouve pour que l'assentiment où les modifications que vous souhaitez se produisent. N'espérez pas de changements instantanés ni même rapides. Visez à l'obtention de quelque rapprochement de vos vues réciproques, ou à l'accomplissement, par le sujet, d'un acte spontané de subordination, d'une manifestation conforme à vos suggestions.

Jusqu'à ce que ces premiers résultats se soient produits, insistez dans le même sens. S'il faut 10 ou 20 séances pour déclencher un premier pas, n'en soyez ni surpris, ni déconcerté. Dans la plupart des actions mentales, le « démarrage » s'avère laborieux. Chaque séance accentue et renforce les effets de la précédente, contribue à l'imprégnation du psychisme sur lequel on agit, mais avant que le degré d'imprégnation devienne suffisant pour déterminer des signes visibles, plusieurs semaines de travail quotidien se trouvent requises, sauf exceptions bien rares.

Il en est de cela comme de l'influence persuasive normale, celle du représentant par exemple, qu'un premier entretien stérile déprimerait s'il ne savait que la répétition (sous des formes aussi variées que possible) fait la force de la suggestion. L'implantation d'une idée dans un cerveau ne réussit pas toujours du premier coup et le cheminement de cette idée peut demander du temps. Chaque nouvelle visite du représentant adroit donne une impulsion nouvelle au processus dont l'aboutissement sera le succès.

En matière de suggestion mentale, voyez dans le temps un allié.

Dès les premiers résultats — ceux qu'implique le mot *démarrage* — votre confiance en vous et en l'action psychique prendront une plénitude telle que la suite de vos efforts vous sera incomparablement plus légère que leur début. En la matière, le plus difficile est de concevoir que l'on *peut*. **Tant que subsiste l'ombre d'un doute, cette sorte de restriction mentale agit comme un frein. Dès que la certitude s'impose, le pouvoir personnel atteint son plus haut degré.**

Quand vous avez pleinement pris conscience du fait que votre influence détermine positivement des effets conformes à vos intentions, composez une sorte de film mental représentatif de toutes les étapes par lesquelles le sujet doit logiquement passer pour arriver à accomplir ce que vous voulez, à adopter le comportement que vous aimeriez lui voir suivre, à renoncer complètement et définitivement à ce que vous jugez néfaste pour lui. Ce film, que vous projetterez chaque jour sur l'écran de votre imagination avec la volonté bien arrêtée de le voir s'objectiver pratiquement, formera désormais la base de toutes vos séances.

Utilisez-le en entier mais insistez longuement sur l'étape en cours et sur la suivante. A plusieurs reprises, pendant votre expérimentation quotidienne, adressez au sujet des ordres aussi impérieux que silencieux. Exaltez-vous. Ordonnez. Usez de formules courtes, toujours accompagnées de la visualisation de ce qu'elles expriment, c'est-à-dire de l'*accomplissement* de ce que vous entendez voir se réaliser. Après un certain temps, les progrès vous laisseront entrevoir l'issue finale. Continuez à aller de l'avant : vous obtiendrez pleine et entière satisfaction.

Lorsqu'une influence étrangère à la vôtre (et plus ou moins antagoniste) a pris quelque empire sur le sujet, abstenez-vous d'agir sur la personne de laquelle émane cette influence parasite. On ne saurait, dans un même espace de temps, entreprendre avec avantage deux actions différentes. Ignorez absolument la tierce personne. N'y pensez pas. Mettez toute votre énergie à suggestionner *votre* sujet : en l'imprégnant progressivement de vos propres vibrations mentales, vous déterminerez de la manière la plus sûre sa désensibilisation vis-à-vis de tout autre que vous. Cette recommandation ne s'inspire pas de vues théoriques, mais de nombreuses constatations pratiques.

7. Magnétisme curatif

Nous ne pouvons passer sous silence le fait que certains guérisseurs obtiennent des résultats incontestables, même à distance. Cela exige-t-il un don ? Si par « don » on entend une tension d'extériorisation extrêmement puissante, alors oui. Il existe indubitablement des êtres qui, aussi dépourvus soient-ils de connaissances spéciales, obtiennent des guérisons extraordinaires.

La presque totalité des grands « magnétiseurs » ne connaissaient pas, à leurs débuts, la « force » qu'ils apprirent ensuite à manier suivant les règles de l'art. Ce fut généralement à la faveur de circonstances imprévues qu'ils prirent conscience de leur pouvoir thérapeutique. Je fais ici allusion au magnétisme physiologique dont il a déjà été question. D'autres, dépourvus de prédispositions au départ, sont devenus de remarquables thérapeutes grâce à l'étude et à l'entraînement. Ce qui est vrai pour le magnétisme l'est également pour l'influence psychique, agent des guérisons à distance.

Ceux qui souhaitent pouvoir réaliser des guérisons devraient tout d'abord intensifier leur influence invisible et la discipliner. Ensuite, ils pourront d'abord tenter de soulager certains malaises puis, en se spécialisant dans le traitement d'un genre de maladie, passer de celui-ci à un autre et ainsi de suite jusqu'à ce qu'ils aient parcouru tous les secteurs de la pathologie (6).

---

6. **Très important** : la loi interdit à toute personne non pourvue du diplôme de docteur en médecine le droit d'exercer un acte visant à guérir. Ce serait considéré comme exercice illégal de la médecine, avec toutes les conséquences judiciaires qui pourraient s'ensuivre. N'oubliez pas cet aspect important !

Mais attention : l'exacte représentation d'un trouble fonctionnel nécessite des notions précises d'anatomie et de physiologie. Tout acte thérapeutique nécessite un **diagnostic exact**. En effet, l'action à distance appliquée à la thérapeutique ne peut être suivie d'effet que dans la mesure où l'opérateur sait visualiser ce dont souffre son patient. Or, le médecin, avec toutes ses connaissances, son expérience clinique et l'appoint des examens de laboratoire ne parvient pas toujours « à mettre dans le mille ». Je ne saurais chiffrer la proportion des malades traités pour ce qu'ils n'ont pas alors que ce dont ils souffrent reste inconnu, mais cette proportion est sans doute considérable.

C'est pourquoi j'engage vivement tous ceux qui se proposent de pratiquer le « traitement à distance » à s'instruire (médicalement parlant), et à s'assurer, dans chaque cas, que le médecin traitant a défini avec certitude la maladie en cause. Après s'être bien rendu compte de ce en quoi cette dernière consiste, et après avoir pris visuellement contact avec le patient afin de s'en constituer une image mentale assez précise, l'opérateur effectuera un certain nombre de séances de concentration visant à l'atténuation progressive du mal. Dirigeant sa pensée vers le malade, il imaginera ce que celui-ci ressent, comment fonctionne actuellement l'organe ou l'appareil incriminé, et comment il devrait normalement fonctionner. Ensuite, par une ardente projection active, il communiquera à l'organisme auquel il pense une impulsion régénératrice.

Bien que cela ne soit pas toujours indispensable, le fait de voir préalablement le malade en personne, permet d'établir avec lui un rapport psychique plus étroit (7). Il n'en reste pas moins vérifié que certains guérisseurs, sans doute exceptionnellement doués et capables d'une concentration mentale particulièrement intense, influent sur des patients qu'ils ne connaissent pas (sinon par leurs lettres ou leurs photographies). De tels documents, plus ou moins imprégnés des radiations du sujet, peuvent jouer le rôle de « témoins », de « contacts ». L'intention de soulager et de guérir, quand elle est ardente, soutenue et sincèrement inspirée par des sentiments altruistes, détermine de véritables miracles.

---

7. Facilitant ce que Lalia Paternostrô appelait la *projection à distance des effluves vitaux.*

Dans le cercle familial, n'importe quel praticien amateur, pourvu qu'il sache se concentrer mentalement de 30 à 60 minutes par jour, peut, à l'insu de tous, influer efficacement sur l'enfant, le conjoint ou le parent malade, cela sans connaissances médicales particulières, uniquement à l'aide de l'*intention*. En effet, l'espèce de syntonisme, d'interpénétration radiante qui unit les membres d'une famille (dans la mesure où ils vivent en bonne intelligence) forme un climat psychomagnétique tel que la moindre pensée de l'un retentit puissamment sur chacun des autres. Et si plusieurs s'efforcent d'influer ensemble sur un des leurs, terrassé par la maladie, les effets surajoutés de cette « pile à plusieurs éléments » équivalent à une transfusion surabondante d'énergie vitale dans les mécanismes d'autodéfense du patient.

Cela, bien entendu, ne doit pas exclure les soins de la médecine classique, dont l'appoint ne saurait en aucun cas être négligé. En effet, l'homme qui a passé des années à étudier consciencieusement les rouages de la machine humaine a, sur son fonctionnement et ses avaries, des vues précises qu'il ne faut pas négliger.

S'il prend soin de bien mettre au point son magnétisme personnel, son influence invisible, selon nos conseils, le guérisseur (comme le médecin d'ailleurs) produit d'emblée sur ses malades une impression extrêmement favorable, un climat de confiance qui facilitera la réceptivité du sujet. Alors, non seulement les actions mentales, les magnétisations mais aussi les remèdes « classiques » auront sur lui des effets décuplés (8).

---

8. Charcot, dont le positivisme matérialiste et le classicisme médical furent notoires, publia jadis une thèse : *La foi qui guérit*, que lui inspirèrent ses propres observations. De nos jours, plus personne ne conteste l'influence prédominante du « moral » sur le processus de guérison.

Conclusion

Supposons qu'avant d'ouvrir ce livre vous ne possédiez pas la moindre notion de ce que sont les « sciences psychiques ». Eh bien, ce guide pratique a été conçu de manière à ce que n'importe qui puisse en tirer parti, même si ses dispositions naturelles manquent des qualifications les plus élémentaires !

Mon premier soin a été de vous montrer que nous exerçons **tous**, consciemment ou inconsciemment, une influence sur tous ceux avec qui nous sommes en relation. Ensuite, que tout psychisme (le plus faible comme le plus énergique) extériorise une subtile irradiation qui, véhiculée par l'agent universel, détermine des répercussions concrètes à courte ou longue distance.

L'influence visible et le magnétisme invisible de certaines personnes engendrent des résultats conformes à leurs aspirations, à l'harmonie de leur existence. Pour d'autres personnes, cette même influence et ce même magnétisme semblent engendrer des effets négatifs, répulsifs, catastrophiques... malchance et malheur sous toutes leurs formes. A la plupart des autres, c'est-à-dire aux irrésolus, aux dispersés, aux faibles, à ceux dont la structure mentale ne comporte pas un « voltage » suffisant, rien d'important n'échoit ; leur rayonnement neutre ne donne lieu qu'à des satisfactions ou antagonismes insignifiants. Parmi ces derniers, il s'en trouve néanmoins une certaine proportion que j'estime favorisée car, en dépit de la pauvreté de leurs moyens psychiques, ils rêvent de devenir forts, d'acquérir un degré supérieur et de réussir dans leurs entreprises après avoir surmonté les entraves inhérentes à leur condition primitive.

Si vous êtes de ceux-là, sachez que c'est principalement à vous que je pense depuis la première ligne de cet ouvrage. Faites un effort, secouez les chaînes de l'hérédité, de votre formation première, l'oppression qui résulte d'un milieu ou d'un entourage dissonant... Attaquez-vous à l'inertie, aux habitudes enracinées, aux vieux automatismes, à la subordination aux « tabous » de l'éducation et de l'opinion commune. Entreprenez de devenir, en dépit de toutes les entraves, ce qu'on appelle une « forte personnalité ».

Pour cela, procédez méthodiquement, commencez par le début.

Prenez attentivement connaissance des notions exposées dans la première partie. Avant d'aborder la pratique, lisez et relisez les deux premiers chapitres afin de vous former une conception claire et précise de la question, d'en fixer définitivement tous les éléments dans votre mémoire, bien classés.

Passez ensuite à la seconde partie. Travaillez sans relâche le chapitre III jusqu'à ce que vous ayez acquis ce calme imperturbable, première condition de la supériorité, condition fondamentale pour gouverner non seulement votre comportement visible, mais votre vie intérieure, source profonde de magnétisme personnel. Vous gagnerez un temps précieux en vous acharnant à obtenir ce premier résultat avant de vous préoccuper des suivants. Le calme peut se comparer aux fondations de l'édifice individuel, au piédestal inébranlable sur lequel se développeront progressivement toutes vos autres qualifications. Vous deviendrez ainsi *consciemment* « magnétique », capable de gouverner votre propre influence puis d'élever son intensité pour l'utiliser en vue de résultats définis, au moyen d'une technique sûre.

L'obstacle renaîtra devant vous plus d'une fois ; soyez déterminé à le briser net. Vous parviendrez à le surmonter et serez ainsi prêt à aborder la suite, en premier lieu l'entraînement de tous vos moyens visibles d'influence personnelle. Ceux-ci parfaitement assimilés et mis au point, vous pourrez entamer dans d'excellentes conditions la troisième partie.

Obstinez-vous à réaliser la « condition fondamentale » (chapitre VIII), car la possibilité de suspendre à volonté le cours de votre pensée vous rendra définitivement maître de votre influence invisible et vous permettra d'édifier une barrière infranchissable entre votre mental et toutes les interférences venues de l'extérieur.

Vous passerez ensuite à l'augmentation de puissance, à la constitution d'une « batterie » intérieure, automatiquement attractive de tout ce qui peut contribuer à la réalisation de vos objectifs, et neutralisante de tout ce qui peut venir contrecarrer vos plans. Vous aurez alors acquis l'essentiel.

Si l'influence directe vous tente, vous vous trouverez en état de l'exercer. Usez-en toujours avec mesure et équité afin d'éviter les chocs en retour inéluctables de tout arbitraire et de tout despotisme.

Pour presque chacun d'entre nous, l'existence comporte des épreuves d'autant plus déconcertantes qu'elles sont soudaines et imprévues. Formé aux disciplines de la culture psychique, vous les considérerez comme des crises ponctuelles dont vous vous sentirez sûr de triompher. Si durement que vous frappe le sort, vos énergies ne subiront jamais très longtemps l'abattement. Envisageant de sang-froid la situation, vous méditerez en vue de trouver les inspirations, les forces et les concours nécessaires pour résoudre les difficultés. En quelques jours — sinon en quelques heures — la plénitude de vos moyens sera recouvrée. Alors, avec lucidité, méthode et confiance en vous, vous riposterez par votre initiative, votre capacité d'effort et votre détermination.

Incarnant l'homme qui ne veut « *ni mourir ni se rendre* », aguerri par les victoires passées, ce qui, pour beaucoup, entraînerait une chute verticale vous trouvera solide comme un roc, intrépide, inlassable et résolu.

Table des matières

Deuxième partie :
PRINCIPES ET TECHNIQUES

Troisième partie :

MAGNÉTISME PERSONNEL
ET INFLUENCE INVISIBLE

La composition et l'impression de cet ouvrage
ont été réalisées par CLERC S.A.
18200 SAINT-AMAND - Tél. : 48-96-41-50
pour le compte des ÉDITIONS DANGLES
18, rue Lavoisier - 45800 ST-JEAN-DE-BRAYE

Dépôt légal Éditeur n° 1777 - Imprimeur n° 4856

Achevé d'imprimer en Juillet 1992